D0892810

Un cœur pour deux

Catalogage avant publication de Bibliothèque et Archives nationales du Québec et Bibliothèque et Archives Canada

Summers, Laura, 1960-

Un cœur pour deux

(Génération Filles)
Traduction de : Heartbeat away.
Pour les jeunes de 10 ans et plus.

ISBN 978-2-89662-251-1

I. LaRue, Caroline, 1970- . II. Titre. III. Collection: Génération Filles (Boucherville, Québec).

PZ23.S95Co 2013 j823'.92 C2013-940714-6

Édition
Les Éditions de Mortagne
C.P. 116
Boucherville (Québec) J4B 5E6
Tél. : 450 641-2387
Téléc. : 450 655-6092
Courriel : info@editionsdemortagne.com

© Laura Summers 2011
Titre original : *Heartbeat away*
© Éditions de Mortagne 2013
Ce roman est publié en accord avec Picadilly Press Limited,
London, England.
Tous droits réservés

Illustrations en couverture et intérieures
© Paula Romani

Dépôt légal
Bibliothèque et Archives Canada
Bibliothèque et Archives nationales du Québec
Bibliothèque Nationale de France
2e trimestre 2013
ISBN 978-2-89662-251-1
ISBN (epdf) 978-2-89662-252-8
ISBN (epub) 978-2-89662-253-5
1 2 3 4 5 – 13 – 17 16 15 14 13
Imprimé au Canada

Nous reconnaissons l'aide financière du gouvernement du Canada par l'entremise du Fonds du livre du Canada (FLC) et celle du gouvernement du Québec par l'entremise de la Société de développement des entreprises culturelles (SODEC) pour nos activités d'édition. Gouvernement du Québec – Programme de crédit d'impôt pour l'édition de livres – Gestion SODEC.

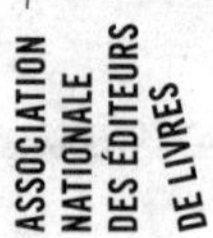

Membre de l'Association nationale des éditeurs de livres (ANEL)

Laura Summers

Un cœur pour deux

Traduit et adapté de l'anglais
(Angleterre)
par Caroline LaRue

ÉDITIONS DE MORTAGNE

L'attente

Tout le monde rêve d'un destin extraordinaire. On espère tous qu'un événement grandiose fasse bifurquer le cours de notre vie. Ma meilleure amie Léa, par exemple, aspire à une vie loin d'ici ; elle souhaite couler des jours heureux sur une île baignée de soleil, en se nourrissant simplement de noix de coco et de poisson grillé. Mon demi-frère, Danny, s'est mis en tête de jouer pour l'équipe de soccer Manchester United et de compter le but gagnant lors de la grande finale de la coupe. Et je pense à au moins trois prétendus artistes, à peine plus doués que des concombres, qui s'imaginent remporter un concours de talents à la télé et devenir aussitôt riches et célèbres.

Je suis comme tout le monde. Depuis deux ans, j'attends cette occasion formidable qui changera ma vie. Mais, contrairement à la plupart des gens, je préfère ne pas en parler. J'ai trop peur que mon désir soit mal interprété.

Car, pour qu'il se réalise, il faut que quelqu'un meure. Pas un vieillard, ni monsieur MacNamara, mon prof de math, ni Shannon Wilson ou Martin Otis, les deux élèves que je déteste le plus à mon école, mais plutôt une personne que je ne connais pas. J'ai beau passer toutes mes journées à visualiser qui et comment elle est, je ne saurai jamais rien d'elle, ou de lui. C'est un parfait étranger qui ne m'a jamais vue, et qui ne saura sans doute jamais rien de moi.

Et, pendant que je suis allongée ici, trop épuisée pour remuer le petit doigt, cet inconnu accomplit toutes ses tâches et fait ses activités du matin au soir. Puis, il s'endort sans avoir la moindre idée que j'existe. Je suis terrifiée, mais j'attends...

J'attends sa mort, pour pouvoir poursuivre ma vie.

– Becky... Becky... Allez, ma chérie, réveille-toi.

J'ouvre lentement les yeux. Maman est penchée sur le canapé, en peignoir. Depuis un certain temps, je dors ici, dans le salon, parce que je n'arrive plus à monter à ma chambre. Gravir l'escalier m'apparaît maintenant aussi pénible que d'escalader le mont Everest en pantoufles.

Ma mère étire le bras pour allumer la petite lampe sur le buffet, à côté de tous mes trophées de course. Son visage porte les plis de son oreiller, et ses cheveux courts sont en bataille. Je jette un œil à l'horloge sur le manteau de la cheminée. Presque deux heures... du matin.

– Que se passe-t-il ?

Dans le couloir, mon beau-père, Joe, parle à voix basse au téléphone.

– Est-il arrivé quelque chose à grand-maman ?

– Non, elle va bien. C'est l'hôpital. Les médecins veulent que tu y ailles tout de suite.

– Là ? Maintenant ?

Maman fait oui de la tête et me regarde d'un air fatigué.

– Mais on est au beau milieu de la nuit !

– Ils pensent avoir un nouveau cœur pour toi.

Ma vieille patate usée manque un battement dans ma poitrine.

– Mais...

– On doit y aller tout de suite. Ta grand-mère va rester ici avec Danny.

Maman tient un sac à dos bleu. C'est celui qu'on a acheté après m'avoir inscrite sur la liste d'attente pour une greffe. Je le regarde sans le voir. Il y a si longtemps déjà que je l'ai préparé que je ne me souviens même plus de ce que j'ai mis dedans.

– Maman...

– Oui, ma chérie ?

– Je... Je ne peux pas y aller.

– Qu'est-ce que tu veux dire ?

– Je ne peux pas, dis-je un peu plus fermement. Je ne suis pas prête.

– Quoi ? Ça fait des mois qu'on attend cela ! réplique-t-elle, effarée.

– Oui, mais c'est la nuit... Je ne me suis pas lavé les cheveux.

Je me raccroche à des détails ridicules. J'éclate en sanglots. Maman me prend dans ses bras comme si j'avais quatre ans, et non quatorze.

Chaque nuit, depuis des mois, je fais le même cauchemar où je suis poursuivie par une meute de loups aux yeux rougis par la rage. Je cours, je cours, puis je titube jusqu'à une rivière. J'y aperçois une créature qui, dans son énervement, agite violemment les flots ; elle salive à l'idée de faire de moi son prochain repas. Sur l'autre rive, des gens me crient de traverser. Ils disent que c'est ma seule chance d'échapper au péril. J'ignore si je réussis finalement à me rendre de l'autre côté, parce que je me réveille toujours à ce moment précis, à bout de souffle, le cœur battant la chamade et le corps couvert de sueur.

– Tout va bien se passer, Becky.

– Tu me le jures ?

Je la fixe droit dans les yeux. Elle ne me répond pas.

– Maman, j'ai peur.

– Le contraire serait étonnant, murmure-t-elle avec un tremblement dans la voix.

Elle me serre plus fort et caresse mes cheveux, qui ne sont effectivement pas propres.

Je repense à mon cauchemar et je prends soudain conscience que j'ai un choix à faire. Soit je reste à la maison, je lave mes cheveux et je meurs à petit feu en l'espace de quelques mois ; soit je vais à l'hôpital et je laisse un médecin me débarrasser de mon cœur défectueux, me greffer celui d'une personne qui vient de mourir et me recoudre gentiment. Alors là, si tout va bien, je pourrai enfin toucher « l'autre rive ».

Joe nous conduit à l'hôpital sous une pluie battante. Maman et lui bavardent de tout et de rien pour égayer l'atmosphère. Mais, au bout d'un certain temps, leur conversation perd son entrain et finit par s'évanouir. Joe allume la radio. Une chanson d'amour vraiment nulle parle de quelqu'un qui donne son cœur à quelqu'un d'autre. Maman fait de gros yeux à Joe ; il saisit le message et s'empresse de changer de station. Il tombe sur une tribune téléphonique qui s'adresse à *tous les cœurs brisés qui se sentent seuls au cœur de la nuit*.

– Bon sang ! Ils font tous exprès ! soupire maman.

Blottie dans une couverture chaude sur la banquette arrière, je suis du regard le parcours d'une grosse goutte de pluie qui coule lentement sur la vitre.

– Ça va, maman ; ça ne fait rien.

Elle éteint quand même la radio, et nous poursuivons le trajet en silence. Il n'y a pas beaucoup de trafic. La plupart des devantures de magasins sont dissimulées derrière des rideaux métalliques. On croise un petit groupe de jeunes, un peu plus âgés que moi, qui rentrent chez eux. Ils ont l'air d'avoir fait la fête. Ils rient et se taquinent, libres comme l'air, sans le moindre souci.

Parmi eux, il y a une fille avec de beaux cheveux longs. Les miens étaient pareils, avant. Mais je les ai fait couper pour qu'ils soient plus faciles à entretenir. Elle tient son amie par l'épaule et elles dansent toutes les deux en chantant sous la pluie. Mon regard croise le sien. Spontanément, elle me sourit et m'envoie la main. Je la salue d'un geste lent, puis je me ravise. Cette chanceuse ignore que je donnerais n'importe quoi pour changer de place avec elle en ce moment.

On arrive à l'hôpital vers trois heures. À mon grand étonnement, l'endroit fourmille de gens, même au beau milieu de la nuit. Joe me trouve un fauteuil roulant, puis on passe à l'accueil pour m'inscrire avant de monter à l'unité de cardiologie. Je suis de plus en plus nerveuse. Heureusement, maman a eu la permission de monter avec moi.

Environ une heure plus tard, une infirmière m'installe un masque en plastique transparent sur le visage. Je m'attends à sentir une odeur de gaz ou d'autre chose, mais je ne perçois rien. Une pensée épouvantable me traverse l'esprit : et si le produit anesthésiant ne fonctionnait pas et que je restais éveillée durant l'opération ? Je me mets à paniquer, puis je me calme en voyant le visage rassurant de ma mère.

– Tout est terminé, Becky... Réveille-toi, belle princesse.

Qui parle ? Qu'est-ce qui est terminé ? Je n'en ai pas la moindre idée. J'ai mal à la gorge et ma bouche est aussi sèche que si j'avais avalé le contenu d'un carré de sable.

– Veux-tu que j'aille te chercher des glaçons ? demande une autre voix, plus enjouée. Ça te ferait peut-être du bien.

Je ne sais pas si ça me convient, mais je fais quand même signe que oui. Ensuite, au prix d'un effort surhumain, j'ouvre les yeux. Dès que j'y parviens, je le regrette et plisse les paupières ; c'est beaucoup trop clair. La télé est allumée. Elle émet un son agaçant, et l'écran n'affiche que des lignes sinueuses et des chiffres. C'est nul. En plus, on a volé mon sofa. Je suis complètement confuse. J'ai la tête dans un brouillard épais. Je regarde autour de moi ; je vois des petits tubes de plastique fixés à mon poignet, à mes bras et Dieu sait où encore. Il y en a certains qui sont reliés à la télé.

– Comment te sens-tu, ma chérie ?

Il me semble que je connais cette voix. J'ai mal au cœur. Je m'efforce de tourner ma tête ; elle est tellement lourde. Maman et Joe sont assis sur le bord de mon lit. Un grand garçon aux cheveux bruns et aux yeux marron se tient dans l'embrasure de la porte et m'observe.

– Qu'est-ce qui est arrivé à Danny ? Il est complètement changé.

– Il est à l'école, dit Joe.

– Tu es à l'hôpital. Tu te rappelles ? ajoute maman en me caressant le front. L'infirmière nous a dit que tu te sentirais sûrement un peu étourdie à ton réveil.

J'ai une grande étoffe de coton sur la poitrine. C'est bizarre ; pourquoi une chose aussi légère me fait-elle si mal ? J'entends en sourdine des portes claquer, des gens parler, et des sonneries de téléphone qui retentissent sans arrêt. Je respire profondément ; je perçois aussitôt l'odeur caractéristique de désinfectants chimiques, mêlée à des effluves nauséabonds de poisson bouilli. Je commence à comprendre où je suis.

– Le docteur Sampson dit que tout s'est très bien passé. Ta mère et moi avons eu un bon entretien avec lui, hier.

Mon beau-père a la barbe négligée, maman, les yeux cernés.

Une jeune infirmière arrive en trombe dans la chambre, un verre rempli de glaçons à la main. Une autre femme entre derrière elle avec un stéthoscope autour du cou. Elle me sourit et dit que j'ai bonne mine, puis se met à vérifier quelques fils qui sont branchés sur moi. Je remarque alors que le garçon qui se tenait à la porte est parti. Une petite fille en fauteuil roulant passe dans le couloir en serrant contre elle un énorme lapin en peluche rose.

– Tu as dit « hier » ?

– Oui. C'est mercredi, aujourd'hui, dit maman. Tu as ton nouveau cœur depuis déjà plus de quarante-huit heures, ajoute-t-elle d'une voix rassurante. Tu n'as plus à t'inquiéter, Becky. À partir de maintenant, tout ira mieux.

Maman et Joe sont retournés à la maison. Ils n'y étaient pas allés depuis deux jours. Je me retrouve seule dans ma chambre. Je profite de ce moment de tranquillité pour jeter un œil sur l'énorme pansement qui recouvre ma poitrine. Ça me fait drôle de penser qu'à l'intérieur de moi, un nouveau cœur bat à un rythme régulier et cadencé. Et que, lentement, il me ramène à la vie. Ma nouvelle vie.

Je vais enfin pouvoir entreprendre tout ce que je n'ai pas eu l'énergie de faire au cours des deux dernières années. Bientôt, je serai assez en forme pour sortir avec mes amies. Je serai peut-être capable de recommencer à m'entraîner. J'ai tellement hâte de courir librement et de m'enivrer de bon air.

Un délicieux frisson de bonheur parcourt mon corps. Pendant un instant, j'oublie ma douleur. La terrible épreuve que j'ai vécue est derrière moi. J'ai réussi à la traverser, malgré tous les dangers qu'elle présentait. Tiens, ça me rappelle mon cauchemar. Ça y est, j'ai enfin rejoint l'autre rive en toute sécurité. Il faut dire que j'ai eu de l'aide ; je dois une fière chandelle au docteur Sampson et à son équipe. Et à quelqu'un d'autre, bien sûr : mon donneur.

Je ne connais même pas le nom de cette personne. Tout ce que je sais, c'est que son groupe sanguin était compatible avec le mien. Et que, quelques heures avant que je reçoive mon nouveau cœur, il ou elle a perdu la vie. Il me vient tout à coup à l'esprit que, pendant que ma famille célèbre ma victoire, les proches de mon donneur pleurent son départ. De grosses larmes se mettent à couler sur mes joues. En prenant conscience de toute l'ampleur de ce contraste et de ce qui s'est passé au cours des derniers jours, j'éclate en sanglots. Immédiatement, les chiffres lumineux à l'écran du moniteur grimpent en flèche et l'appareil émet des bips-bips aigus. Deux infirmières accourent à mon chevet.

– Je vais bien.

Elles s'empressent de m'examiner de la tête aux pieds.

– Je vais très bien, je vous assure.

Visiblement soulagées, elles redémarrent la machine.

Aujourd'hui, l'effet de l'anesthésiant s'estompe et je commence à avoir les pensées moins embrouillées. Toutes les deux heures, les infirmières continuent à vérifier ma température, ma tension artérielle, mon pouls et le taux d'oxygène dans mon sang. Le docteur Sampson arrive et me dit combien il est heureux de voir que tout se passe bien. Une physiothérapeute me rend aussi visite.

Elle m'explique que son prénom, Sahasra, signifie « nouveaux commencements ». C'est tout à fait approprié, car elle prévoit justement m'en offrir un, maintenant, en m'aidant à me lever pour la première fois depuis l'opération.

J'ai mal partout malgré le médicament contre la douleur qui m'est administré directement au moyen d'un soluté. Je me lamente en espérant qu'elle aura pitié de moi et me laissera tranquille. En vain.

Avec un sourire enthousiaste, Sahasra m'aide tout doucement à me mettre debout. J'ai l'impression que ça demande autant d'efforts que de lutter pendant dix rounds contre un champion de sumo.

Je réussis à peine à tenir sur mes pieds quand, du coin de l'œil, j'aperçois quelqu'un de mon âge dans la pièce.

Super : un spectateur. C'est bien la dernière chose que je veux en ce moment.

– Je me sens comme un chien de cirque.

Alors que Sahasra m'aide à faire quelques pas, je regarde par-dessus mon épaule le garçon aux cheveux bruns qui m'observe et qui reste planté là. Visiblement, il n'a pas compris le message. Peu importe qu'il soit malade ou non, il m'agace. Je n'oserais jamais fixer un autre patient comme il le fait.

Quelques minutes plus tard, à nouveau allongée dans mon lit, je suis crevée comme si j'avais été renversée par un train.

– Je reviendrai demain, et on essaiera quelque chose d'un peu plus entraînant, me promet Sahasra en souriant. On marchera un peu et on fera quelques mouvements des bras, si tout va bien.

– Formidable. J'ai super hâte.

Je lève les yeux et m'aperçois que mon visiteur est enfin reparti.

– Il faut bien que tu te serves de ce merveilleux cœur tout neuf, me lance-t-elle gaiement en quittant la chambre.

En moins d'une semaine, tous les tubes, les fils et les solutés auxquels j'étais branchée sont retirés. Je suis capable de marcher d'un bout à l'autre du couloir, et je peux manger des aliments solides. Les repas ne sont pas trop mauvais, pourvu qu'ils ne contiennent aucune viande. Avant, j'adorais les rôtis que maman préparait, mais maintenant j'ai mal au cœur juste à l'idée de voir un sandwich au jambon. C'est bizarre, j'ai développé une passion pour le beurre d'arachides ; pourtant, j'ai toujours détesté ça.

Il faut que je commence à prendre des tonnes de médicaments chaque jour. Le docteur Sampson me dit que la majorité d'entre eux sont des immunodépresseurs et que je vais en dépendre tout le reste de ma vie. Ils empêchent mon corps d'attaquer ou de rejeter mon nouveau cœur. Par contre, ils affaiblissent mon système immunitaire, qui aide à me protéger des infections. Quand je serai de retour à la maison, il sera donc très important d'avertir maman si je ne me sens pas bien ou si je fais de la température. En effet, le docteur m'a expliqué qu'une simple infection pourrait avoir de graves conséquences et entraîner une insuffisance cardiaque. Je préfère ne pas y penser.

Un cœur pour deux

À l'hôpital, je me sens en sécurité. Le service où je me trouve est nettoyé chaque jour. Tout le monde est obligé de se laver les mains et les bras jusqu'aux coudes avec un savon antibactérien avant de s'approcher de moi. Et l'accès est interdit aux visiteurs qui ont le moindre rhume.

D'un jour à l'autre, je prends des forces et je me sens un peu plus comme j'étais avant de tomber malade. Puis, un matin, le docteur Sampson m'annonce que je vais pouvoir rentrer chez moi plus tard dans la journée.

– Tu n'as pas l'air de t'en réjouir, Becky.

Il fronce exagérément les sourcils et se tourne vers les deux étudiants en médecine qui l'accompagnent.

– Vous voyez, nos patients ont tellement de plaisir ici qu'ils ne veulent plus repartir, blague-t-il en haussant les épaules.

Les étudiants rient poliment. Le docteur se retourne vers moi et me regarde dans les yeux.

– Allez, mademoiselle, dites-moi ce qui ne va pas.

– Oh... Je suis juste un peu nerveuse.

En réalité, je suis terrifiée à l'idée de retourner à la maison. Ce ne sera pas stérilisé comme ici ; il y aura des microbes partout.

– Tous les résultats d'examens sont excellents, Becky. D'ailleurs, ils ne pourraient pas être meilleurs. Ton nouveau cœur fonctionne à merveille. Tu es beaucoup trop en forme pour poireauter à l'hôpital. Il est temps que tu sortes d'ici. Il faut que tu reprennes ta vie.

Maman m'aide à remballer mes affaires, incluant une énorme carte de souhaits signée par toute ma classe. À l'école, je ne voulais pas que personne soit au courant de ma chirurgie, mais Martin Otis habite à deux portes de chez ma grand-mère. C'est une vraie commère, il est toujours à l'affût des potins. Quand il a su la nouvelle, il l'a annoncée à tout le monde. Bof, tant pis. C'est plutôt flatteur d'avoir reçu un tas de vœux de prompt rétablissement et de messages comiques. Même Shannon Wilson a pris la peine de m'écrire un mot.

On remercie tout le personnel qui m'a soignée. Puis, Joe prend mon sac et on longe les couloirs qui mènent à la sortie. Dehors, l'air est frais. Je me retourne pour regarder l'hôpital une dernière fois, et j'aperçois le garçon aux cheveux bruns sur la pelouse près de la porte principale. Je lui envoie la main, mais je le regrette aussitôt, parce qu'il reste planté là sans me saluer en retour.

– À qui dis-tu au revoir ? me demande maman.

– À personne.

On se dirige lentement vers la voiture. La lumière du jour, le bruit ambiant, le rythme effréné de la circulation m'agressent. Durant les trois semaines que j'ai passées ici, je n'ai pas mis le nez à l'extérieur une seule fois. Je ne me souvenais pas que tout était si clair et si intense.

J'ai un gros frisson.

– As-tu froid, Becky ? s'informe Joe.

– Un peu.

Ce n'est pas vrai. Mais je ne tiens pas à lui avouer que je me sens comme une prisonnière fraîchement libérée qui se demande comment elle va survivre dans le monde qui l'attend.

On passe devant l'école. La journée vient de se terminer. Monsieur MacNamara surveille le flot d'élèves qui se précipitent dans la cour et envahissent les trottoirs. Je le vois réprimander Martin. Shannon se tient derrière eux, les mains sur les hanches, visiblement impatiente. Elle roule des yeux et grimace dans le dos de Monsieur MacNamara. Je reconnais d'autres visages dans cette marée de filles et de garçons. Puis, j'aperçois Léa, Alicia et Julie qui entrent dans le kiosque à journaux, probablement pour s'acheter des chips. Je m'enfonce dans le siège de la voiture ; je ne souhaite pas être vue. Je m'ennuie de mes amies, mais je ne suis pas prête à les revoir et à me joindre à leurs activités.

La première chose que je ferai en arrivant à la maison sera de me laver les mains avec du savon antibactérien. Deux fois.

– Becky ! Veux-tu bien me dire ce que tu fabriques là-haut ?

– Rien...

– Impossible ! J'entends toutes sortes de bruits. On dirait que tu rassembles un troupeau d'éléphants.

Maman monte l'escalier à la hâte et se précipite dans ma chambre. Elle s'arrête net en voyant le résultat de mon grand remue-ménage. Mon lit est installé sous la fenêtre, mon armoire est rendue quelques mètres plus loin le long du mur, ma commode se trouve maintenant près de la porte, là où il y avait mon bureau, et le contenu de mon armoire est éparpillé sur le plancher. Je me tiens presque en équilibre sur le seul petit bout de tapis qui demeure visible, et j'attends que maman cède à la colère.

– Oh ! Becky !

Elle me lance un regard réprobateur.

– Euh... J'ai juste réaménagé l'espace en déplaçant quelques petites choses ici et là.

Il suffit d'un coup d'œil dans la pièce pour comprendre son effroi. Ma « petite » réorganisation donne plutôt l'impression qu'une bande de voyous est venue tout saccager.

– Ça fait à peine deux semaines que tu es revenue à la maison ! Tu n'es pas censée faire des efforts physiques, comme tirer ou pousser quoi que ce soit, ou déplacer des meubles ! As-tu pensé à ta cicatrice ?

Maman n'est pas seulement fâchée, elle est très inquiète. J'ai perçu une pointe de panique dans sa voix.

– Qu'est-ce qui t'a pris, ma chérie ?

Je suis bouche bée. J'ignore ce qui m'a pris. Tout ce que je sais, c'est que, depuis mon retour, je trouve que ma chambre n'est pas comme elle devrait l'être. Les choses ne se trouvent pas à leur place.

– Ne t'en fais pas, maman. Danny m'a aidée à déplacer les meubles et les objets lourds.

Parlant du loup, on le voit apparaître dans l'embrasure de la porte avec son ballon de soccer.

– Je t'avais dit qu'elle ne serait pas contente. Veux-tu sortir jouer, Becky ?

– Peut-être plus tard, coco. Je dois d'abord ranger ma chambre.

– Ah. OK.

Son sourire disparaît. Il tourne les talons et dévale l'escalier.

Maman me dévisage.

– Euh... ben quoi ?

– Tu pourrais faire l'effort de jouer avec lui de temps en temps.

– Maman, il a sept ans. Je ne vais pas me planter à côté de lui pour le regarder botter maladroitement le ballon dans le jardin des voisins.

Je me penche pour ramasser une paire de chaussures.

– En plus, ce n'est même pas mon vrai frère, alors...

Maman soupire. Je regrette ce que je viens de dire. Pauvre Danny, ce n'est pas sa faute si son père a marié ma mère. Elle se dirige vers la porte, puis hésite.

– Je devrais vérifier ta cicatrice...

– Je vais le faire moi-même dans une minute. Je te le promets.

– Bon, d'accord. Mais n'oublie pas. Oh ! pendant que j'y pense, Julie t'a téléphoné. C'était au sujet de la pièce de théâtre, à l'école.

Mon visage s'assombrit.

– Voyons, ma chérie, ça te fera du bien d'y aller, de revoir toutes tes amies. Je lui ai dit que tu la rappellerais. Mais je suis certaine qu'elle peut attendre jusqu'à ce que tu aies fini de ramasser tout ce bordel.

Elle s'en va, me laissant seule au milieu de mon désordre. Je ne comprends pas ; j'ai toujours aimé ma chambre telle qu'elle était. Je n'ai jamais voulu y changer quoi que ce soit auparavant. Je croise mon reflet dans le long miroir, et je le fixe, troublée. Suis-je vraiment différente, maintenant que le cœur d'une autre personne bat en moi ?

J'examine le visage pâle et ovale qui me renvoie un drôle de regard. Ma frange a poussé, mais j'ai encore de gros cernes sous les yeux, et mes joues sont enflées. Le docteur Sampson m'a avertie que ça pouvait arriver, à cause des comprimés que je dois prendre. Bon, alors, c'est génial : je survis à une chirurgie cardiaque majeure, pour ensuite me transformer en hamster géant.

Je descends délicatement l'encolure de mon chandail à col roulé noir pour examiner la cicatrice monstrueuse qui sillonne ma poitrine. Elle semble en train de guérir correctement, bien qu'elle soit encore rouge vif. Je n'aime pas trop l'observer. Quand je dois le faire, je me contente de jeter un petit regard furtif dans le haut seulement. Je sais qu'elle est là et ce qu'elle représente, et ça me suffit. Je replace aussitôt mon chandail en prenant soin de bien couvrir mon cou. Désormais, je ne porte que des vêtements à col haut.

7

– La salle va être vraiment pleine : tous les billets sont vendus. Mais j'ai réussi à t'obtenir une place dans la première rangée !

À l'autre bout du téléphone, Julie est surexcitée.

– Attends de voir Léa... ou plutôt « petit poulet numéro sept » ! Crois-moi, tu vas mourir de rire !

Un silence embarrassé suit.

– Oups ! Excuse-moi, Becky ; ce n'est pas ce que j'ai voulu...

– Ça va. Écoute, je ne sais pas si je vais pouvoir y aller...

– Ah, zut ! Pourquoi ? Pourtant, tu m'as dit que l'opération s'était bien passée et que tu vas de mieux en mieux.

– Oui, c'est vrai. Mais euh... ma mère préfère que je n'en fasse pas trop et que j'y aille mollo.

– Becky ! Personne ne va te demander de grimper sur scène et de faire un numéro ! Tout ce que tu as à faire, c'est t'asseoir sur ton derrière et applaudir à la fin !

– Je sais, mais...

– Il faut que tu viennes, Becky. Sinon, petit poulet numéro sept aura le cœur brisé ! Tu ne peux pas la laisser tomber. Allez, viens, s'il te plaaaîîît !

Je n'arrive pas à répondre. Je cherche désespérément une autre excuse, mais aucune ne me vient en tête. Je suis figée. Tout ce que j'imagine, ce sont les bactéries et les infections que je pourrais attraper en passant plusieurs heures au milieu de cette grande salle bondée de monde à l'école. D'autant plus que c'est l'hiver ; les rhumes et les grippes courent, ces temps-ci. Plein de gens vont tousser et crachoter tout au long du spectacle. Il suffit d'un seul toussotement d'un parent assis derrière moi pour que je sois éclaboussée de trois millions de microbes. Je tremble juste à y penser.

– Je vais essayer d'y aller. Je te le promets.

Je mens.

– Tu ferais mieux de te pointer ! Et tu es la bienvenue au party de la troupe de théâtre qui aura lieu juste après. J'ai demandé à mademoiselle Dupont la permission de t'inviter.

– Super. Merci, Julie.

– À la semaine prochaine !

– Bye.

Je raccroche et je retourne dans ma chambre. J'essaie très fort d'inventer une bonne excuse pour ne pas y aller, même si je me trouve vraiment nulle d'agir comme ça. L'an dernier, la pièce *Macbeth* a été géniale. Je n'étais pas assez en forme pour jouer un rôle, mais j'ai participé à la confection des costumes. J'ai cousu des morceaux à la maison quand j'étais trop malade pour aller à l'école. J'ai réussi à voir la dernière représentation ; les participants n'avaient plus le trac, et mademoiselle Dupont s'était remise de l'expérience quasi traumatisante des répétitions avec Martin dans le rôle du Soldat numéro quatre.

Après le spectacle, on s'est tous réunis dans une des classes pour fêter. Il y avait plein de bouffe et de la musique. Mademoiselle Dupont a entraîné tout le monde dans une conga autour des bureaux. Je suis restée à l'écart. C'était tordant à voir. Monsieur Patterson, notre directeur, est venu nous féliciter. Il a dit que tout s'était très bien déroulé, même si Martin Otis avait trouvé le moyen de tomber en bas de la scène au moins une fois chaque soir.

À bien y penser, je vais essayer d'y aller. Ça fait longtemps que je n'ai pas ri un bon coup. Et maman me répète sans arrêt que ça me ferait énormément de bien de sortir un peu.

Mais je repense à toutes les bactéries qui fourmillent partout.

Finalement, je passe la soirée de la pièce dans le salon, à jouer au Scrabble avec grand-maman. Comme d'habitude, c'est elle qui gagne. Elle place toujours de grands mots que je n'ai jamais vus. D'ailleurs, je suis sûre qu'elle en invente la moitié.

Le lendemain, quand je reparle à Julie, elle jure qu'elle n'est pas fâchée. Pourtant, elle m'appelle moins souvent après ce jour-là.

– Tu devrais sortir prendre un peu d'air, ou faire une promenade, non ? propose Joe.

– Bof, je n'en ai pas envie.

Je suis confortablement calée dans le canapé. J'avais l'intention de terminer un devoir que monsieur MacNamara m'a envoyé il y a des siècles, mais je m'amuse plutôt à dessiner des cygnes au dos de mon livre de math.

Pourquoi des cygnes ? Je n'en ai aucune idée. Je n'aime même pas ça. Je me rappelle être allée pique-niquer près d'une rivière avec mes parents quand j'étais petite. Il y en avait un qui s'était mis à siffler comme une vipère, puis, en quelques battements d'ailes, était venu voler mon sandwich de son gros bec orange. Papa n'avait même pas eu le temps de réagir pour l'éloigner.

Ceux que je dessine sont différents. J'arrive à ajuster la courbe de leur long cou élégant pour leur donner un air assez réaliste. Les plumes demandent un peu plus de doigté, mais à force de m'exercer, je vais y arriver.

– Et si tu allais jogger ? Faire un peu d'exercice ?

Joe ouvre les rideaux.

– Non. Il fait vraiment froid aujourd'hui.

– Tu sais, à part tes visites chez le médecin chaque semaine pour tes examens de suivi, tu n'es pas sortie depuis ton retour de l'hôpital.

– Ouais. J'irai peut-être demain.

Je sais que je n'en ferai rien. C'est simple : je préfère rester ici, dans la maison, à l'abri de tous ces maux horribles que je risque d'attraper si je m'aventure dehors.

– Allons, Becky, fais un petit effort. Il faut que tu bouges. Le docteur a dit que c'est très important.

J'aimerais bien qu'il se mêle de ses affaires. Il a beau agir comme s'il était mon père, il ne l'est pas et ne le sera jamais.

– Bon. Veux-tu au moins t'entraîner sur le tapis roulant pendant trente minutes ?

Il fait un signe de la tête en direction de l'appareil qui trône dans un coin du salon. Ce gros bidule me rappelle constamment que je dois me remettre en forme.

– OK, OK ! D'accord.

J'ai compris que la seule façon de me débarrasser de lui est de m'extirper du sofa.

– Ça te fera du bien, Becky.

Il quitte enfin la pièce. Je mets mes écouteurs, je monte sur le tapis roulant en prenant soin d'essuyer la poignée avec une lingette antibactérienne. Puis, je presse le pas en suivant le rythme de la musique. Je me demande d'où m'est venue l'idée de dessiner des cygnes. Perdue dans cette réflexion, je m'aperçois soudain qu'au lieu du papier peint brun à rayures, j'aperçois sur le mur des éclats de couleurs.

Je me frotte les yeux et cligne des paupières. Je vois bel et bien de l'herbe toute verte et un ciel bleu ensoleillé.

Mon cœur se met à battre plus vite. Puis, comme si une succession d'images défilait devant moi, je visualise un ancien kiosque à musique, avec de jolis piliers en fer forgé. Des chaises longues sont placées tout autour du pavillon, et une brise légère soulève leurs coussins aux teintes vives. Le tout est encerclé de massifs de roses blanches soigneusement entretenus. Je peux presque sentir leur parfum. Je ne sais pas du tout où se trouve cet endroit, mais j'ai l'impression de le connaître. Pendant un bref instant, je suis heureuse. Complètement et parfaitement heureuse.

Quelques secondes plus tard, ma vision a disparu. Je n'en reviens pas : le salon est comme d'habitude. Le mur est d'un ennui atroce, l'horloge fait tic-tac sur le manteau de la cheminée, mes trophées de course ornent le buffet, et j'entends Danny qui joue dehors dans le jardin. Je respire profondément. J'arrête le tapis roulant et, perplexe, j'essaie de me convaincre que ce n'était qu'une rêverie.

9

Les jours suivants, je suis à cran. Pourtant, je n'ai aucune raison de l'être. Je clavarde avec Léa. Elle m'invite à l'accompagner à un concert avec Alicia ; le chum de celle-ci fait partie du groupe. Aïe ! Il va y avoir plein de monde. Je fige, puis j'écris une excuse bidon. Au même instant, maman m'appelle. Ça m'arrange : je dis à Léa que je dois descendre.

Une fois dans la cuisine, je mange un sandwich pendant que maman me parle de retourner à l'école après Noël. Je l'écoute distraitement, en regardant dans le vide. Je pense à Léa ; je me sens coupable de lui avoir menti. Tout à coup, une vieille maison aux volets de bois peints en vert me vient à l'esprit.

Surprise et affolée par cette image qui surgit de nulle part, j'essaie de me concentrer sur autre chose : le goût du beurre d'arachides, ou maman qui propose de faire du thé. Je suis consciente d'être encore assise à la table, en train de prendre mon repas, mais ça ne m'empêche pas de continuer à voir cette maison. La porte d'entrée est vert foncé avec une sonnette dorée qui, je le sais, ne laisse entendre qu'un pauvre « dong » étouffé quand on appuie dessus.

Le jardin est bordé de lisières de fleurs et est traversé de quelques allées pavées. Des jonquilles et des grappes de jacinthes pousseront au printemps, à l'ombre du grand magnolia planté près du portillon chambranlant. Je me demande pourquoi je sais tout ça. Je fouille ma mémoire, mais... rien. Je ne suis jamais allée à cette maison. Pourtant... j'ai la certitude de la connaître et, curieusement, de l'aimer. À cette pensée, un petit sourire se dessine sur mon visage et des frissons me parcourent la nuque. La vision s'estompe tout doucement, et j'entends maman me demander si je me sens bien. Je fais signe que oui, puis j'avale ma grosse bouchée de sandwich.

– Ça va. Je rêvassais.

Je n'ai plus faim. Une foule d'idées confuses se bousculent dans mon esprit. De drôles de choses m'arrivent depuis que j'ai reçu ma greffe du cœur. Je repense à cette nuit-là et je ne peux m'empêcher de me demander : qui était mon donneur ?

10

– Ma chère Becky, tu es notre patiente vedette cette année. Jusqu'à maintenant, ton nouveau cœur fonctionne parfaitement.

J'adresse un grand sourire de soulagement au docteur Sampson.

– Je suis vraiment contente de l'entendre. Merci.

Il répond par un modeste signe de la tête. Malgré son goût douteux pour les nœuds papillon, je dois admettre qu'il est vraiment extraordinaire.

– Nous vous sommes tellement reconnaissants, docteur Sampson, dit maman. Tout se déroule à merveille. C'est comme si on avait gagné à la loterie !

– On ne pourra jamais assez vous remercier, ajoute Joe. Sans votre aide, vous savez... Becky... eh bien... elle ne serait peut-être...

Sa voix s'étrangle. Je suis surprise du souci qu'il se fait pour moi. Je l'observe, mais il évite mon regard.

– Il est encore tôt pour se prononcer, mais les résultats nous permettent d'être très optimistes pour l'instant.

On va continuer à faire des suivis chaque semaine et, dans quelques mois, si tout va bien, on réduira la fréquence de ces visites à une fois par mois.

– T'entends ça, Becky ? Ça va être génial, non ? Plus besoin de se taper le long trajet jusqu'ici chaque semaine...

La pièce devient silencieuse tout à coup. Maman me fixe d'un drôle d'air.

– Becky ?

J'essaie de m'extirper d'un songe où un grand portail se dresse devant moi.

– Hum... Ah oui, super.

Je tente de ne pas trop laisser paraître que j'étais à des années-lumière de la conversation.

– Bien que ça ne nous dérange pas de venir chaque semaine ! N'est-ce pas ? ajoute maman pour ne pas vexer le docteur.

Je secoue la tête de haut en bas comme un automate. L'image du portail s'envole.

– Quand on voit nos patients moins souvent, ça signifie qu'on a réussi. Chaque nouvelle étape franchie est une raison de nous réjouir.

– Croyez-vous que Becky pourra retourner à l'école après les fêtes ?

Ah zut ! Je me doutais bien qu'elle allait poser cette question. Ça fait des semaines qu'elle mentionne sans aucune subtilité qu'il faudrait commencer à revenir « à la normale ».

– Oui. Je ne vois aucune raison de l'en empêcher. Elle pourra rentrer en classe à la fin du mois de janvier. Tu t'es bien rétablie de ta chirurgie, Becky.

– Et il n'y a pas de risque à ce qu'elle se mêle à d'autres jeunes ?

– Becky ne peut pas passer sa vie dans une bulle. Par contre, il faudrait éviter tout contact avec des personnes qui sont visiblement enrhumées ou affectées d'une maladie contagieuse. Je parie que tu as hâte de reprendre les cours après tout ce temps, n'est-ce pas, Becky ?

S'il savait combien je redoute ce retour. Je m'accroche un sourire au visage et je fais signe que oui avec un faux enthousiasme.

– Bon. Des questions ?

Voici ma chance.

– Docteur Sampson, je... j'aimerais juste savoir si... Pouvez-vous me parler de mon donneur ?

Il grimace.

– Je regrette, on ne peut divulguer aucun renseignement à propos des donneurs.

– Rien du tout ?

Je suis déçue.

– La procédure est complètement anonyme. C'est comme ça qu'elle fonctionne le mieux.

Il prend une chemise et jette un coup d'œil au dossier.

– Tout ce que j'ai le droit de te dire, c'est que ton donneur était jeune, en santé et... vivait dans la région. Il arrive souvent que le cœur des donneurs nous soit envoyé par avion. Mais, quand c'est le cas, on ne le reçoit pas toujours en bon état.

Maman intervient.

– Ma chérie, ça n'a pas vraiment d'importance de savoir qui était cette personne. Ne vous méprenez pas, docteur ; nous lui sommes vraiment très reconnaissants. Mais elle est morte maintenant. Sa famille vit sans doute des moments très difficiles. Par contre, il n'y a rien qu'on puisse changer à cela. On peut juste être heureux de cette deuxième vie qui s'ouvre à Becky.

Le docteur acquiesce de la tête, puis me scrute avec curiosité.

– Qu'est-ce que tu voulais savoir sur ton donneur, exactement ?

– Je... je ne sais pas trop.

J'évite de croiser son regard pendant que je réfléchis. Il attend patiemment ma réponse. Qu'est-ce que je peux lui dire ? J'aurai l'air d'une vraie perdue si je commence à lui raconter les paysages que j'ai vus, les cygnes que je gribouille sans arrêt, et la manière dont je perçois maintenant les choses.

– C'est juste que... euh, depuis que j'ai reçu ma greffe, il m'arrive de drôles de...

Il m'observe, la tête penchée sur le côté. Je plonge mes yeux dans les siens.

– Ce que je veux dire, c'est que j'ai changé et je ne comprends pas pourquoi.

Il réfléchit un instant avant de me répondre. Il joint ses deux mains en appuyant ses longs doigts les uns contre les autres, et les fixe pendant quelques secondes.

– La plupart des jeunes de ton âge n'auront jamais à faire face à un millième des difficultés que tu as dû surmonter au cours des deux dernières années. Une greffe du cœur, c'est une intervention majeure. C'est traumatisant, même quand ça se passe à merveille.

– Mais je me sens tellement changée...

– Le cocktail de médicaments que tu prends actuellement est très puissant et peut avoir des effets secondaires. Entre autres, il est possible que tu éprouves des sautes d'humeur, ou que tu te sentes différente. C'est tout à fait normal. Pour être franc avec toi, je serais plutôt inquiet si tout cela n'avait aucun impact sur toi.

– Si je comprends bien, je pourrais développer des envies ou des dégoûts, ou me mettre à faire des choses que je ne faisais pas avant la greffe ?

Le docteur hoche la tête.

– Oui, ça pourrait arriver.

– Eh bien, je ne me sens plus à cent pour cent moi-même. Le cœur de quelqu'un d'autre bat en moi.

– C'est normal que tu ressentes un lien pour ton donneur, ou même de la culpabilité envers lui. Cette personne était vivante et, maintenant, tu as son cœur. C'est une expérience bouleversante, un événement extraordinaire et marquant. Mais il faut que tu comprennes que l'organe que tu as reçu n'est que ça : une pompe musculaire qui sert à acheminer ton sang vers les autres parties de ton corps.

Le docteur Sampson plante ses yeux bleus dans les miens, avec le plus grand sérieux.

– Aimerais-tu en parler avec quelqu'un ? En profondeur, je veux dire.

– Oui… euh… non. (Je secoue la tête et pousse un petit soupir.) Non, je ne crois pas que ce soit nécessaire.

– Tu te sentiras mieux quand tu retourneras à l'école, Becky, suggère maman en me regardant avec insistance. Docteur, je pense qu'elle a juste besoin de retrouver une routine normale. On va prendre le temps de laisser les choses se replacer.

Le docteur Sampson hoche la tête.

– Tu sais, on permet à nos patients d'écrire aux familles de leur donneur. Tu peux rédiger une lettre, si tu veux. On l'enverra pour toi, à condition qu'elle ne comporte aucun renseignement qui pourrait dévoiler qui tu es, où tu vis, ni aucune question sur la famille du donneur. Toutefois, ne sois pas déçue si ces gens ne te répondent pas. Certaines familles ne sont pas prêtes à le faire. Il ne faut pas oublier qu'elles ont perdu un être cher.

Pendant deux semaines, à la suite de ce rendez-vous, je tente de composer une lettre pour la famille de mon donneur. J'ai du mal à exprimer comment je me sens. Après une phrase ou deux qui tente de souligner à quel point je suis reconnaissante d'avoir ce nouveau cœur, je bloque. Je ne sais pas quoi écrire. Que dire dans ce genre de situation ? « Bonjour, je suis vivante, mon donneur est mort ». J'ai peur d'être maladroite et d'attrister encore davantage ceux qui me liront.

Avec tous les incidents bizarres qui me sont arrivés dernièrement, j'aimerais vraiment en apprendre davantage sur celui qui avait mon cœur. Mais, même si je savais par où commencer, je n'aurais pas le droit de poser des questions. Je suis une inconnue qui écrit à d'autres inconnus, et ça doit rester comme ça.

C'est la veille de Noël et il se fait tard. Je tourne en rond depuis des heures à essayer de mettre les bons mots dans le bon ordre. Mon cinquième brouillon est aussi mauvais que les précédents. Je pose mon crayon et je range au fond d'un tiroir toutes les pages que j'ai noircies, puis je décide d'aller au lit. Je réessaierai d'écrire cette lettre après les fêtes. De toute façon, le moment serait très mal choisi pour l'envoyer à une famille qui a perdu un être cher. Quand je ferme les yeux, des souvenirs de papa refont surface. J'essaie d'imaginer son visage. Ça fait tellement longtemps que je l'ai vu que ses traits ne me reviennent pas clairement. C'est un peu comme si je regardais une vieille photo embrouillée. Je me demande où il vit maintenant, et s'il lui arrive de penser à moi. Je m'endors avec une boule de tristesse dans la gorge. Pendant toute la nuit, je rêve qu'il rentre à la maison.

À mon réveil le lendemain, une clarté inhabituelle inonde ma chambre. Je soulève le rideau et j'ai la surprise de voir un beau tapis de neige tout blanc qui recouvre le sol.

Il règne un calme apaisant. Quelques enfants du voisinage s'amusent à se lancer des balles de neige et à faire de gros bonshommes dans leur cour. Seuls leurs cris d'excitation percent le silence feutré de ce joli décor.

– Becky, il a neigé !

Danny cogne furieusement à ma porte comme s'il y avait une urgence nationale.

– Il y a des tonnes et des tonnes de neige !

– Je sais, petit tata !

Il entre bruyamment dans ma chambre. Il est habillé d'environ six couches de vêtements, incluant deux bonnets enfoncés l'un par-dessus l'autre. Je retiens un fou rire pendant qu'il se rue à la fenêtre pour s'assurer qu'il n'a pas rêvé. Il est complètement émerveillé.

– Ouaaaaaah ! Je vais faire un bonhomme géant ! Gros comme la maison ! Je te mets au défi d'arriver dehors avant moi !

Pendant une seconde, je me sens excitée comme une enfant. Puis, en regardant à nouveau par la fenêtre, une autre vision m'apparaît. Je me trouve dans une sorte de fourgonnette qui roule sur une rue glacée. J'entends des rires et des gens qui blaguent. Je m'amuse. Soudain, sans raison apparente, le véhicule se met à glisser et à tourbillonner dans tous les sens avant de s'immobiliser abruptement. J'ai peur. Quelqu'un crie. Je suis troublée. Enfin, je prends conscience que c'est Danny qui m'appelle.

– Allez, Becky, viens ! Pourquoi restes-tu assise là comme un gros citron ?

Il est drôle. Le petit tannant ! Il saute comme un kangourou devant ma fenêtre, surexcité. Un de ses deux bonnets tombe par terre ; il le ramasse et l'enfonce à nouveau par-dessus l'autre. Dehors, j'aperçois une petite fille aux longs cheveux roux qui pleure dans la rue.

Je ne sais pas pourquoi, mais de grosses larmes me montent aussi aux yeux tout à coup. J'ai envie de sortir la consoler, de lui dire de ne pas s'en faire, que tout va bien aller. Un peu confuse, je tourne la tête pour que Danny ne me voie pas dans cet état.

– Tu viens jouer, ou quoi ?

Je marmonne un « Non », puis j'écrase mes larmes du revers de la main.

– Ah ! T'es tellement plate, Becky ! Ta tête pourrait tomber de tes épaules et tu ne t'en rendrais même pas compte !

Il sort de ma chambre et dévale l'escalier.

Je jette à nouveau un œil sur la rue. La petite fille est partie. Je me demande si elle était réellement là, ou si je l'ai imaginée. J'ouvre toute grande la fenêtre et m'étire le cou à gauche et à droite, au cas où elle serait juste un peu à l'écart, mais je ne la vois pas. Elle doit habiter un peu plus loin.

En bas, Danny se dirige vers la porte aussi délicatement qu'un éléphant. Il s'élance dans la cour en gambadant. Je l'observe pendant un instant ; il remplit ses mitaines de flocons qu'il lance joyeusement dans les airs. Décidément, la neige est parfaite pour les enfants robustes comme lui qui peuvent se permettre d'y rouler, d'avoir les vêtements tout mouillés et d'attraper un rhume. Je frissonne ; je referme la fenêtre avant d'avoir trop froid et j'enfile un autre chandail.

J'essaie de me changer les idées pour oublier la tristesse que j'ai lue sur le visage de la petite fille. Je promène mon regard partout dans ma chambre. Quelque chose dans cet aménagement m'agace ; je n'arrive pas à me détendre ici. Alors, tout doucement, en faisant très attention de ne pas faire de bruit, je pousse mon bureau et le remets là où il était il y a quelque temps. Mais zut, c'est pire.

Et puis tout à coup, ça y est : je trouve exactement ce qui cloche. Ça me sautait pourtant aux yeux depuis mon retour de l'hôpital, mais je n'avais pas cliqué. Mon papier peint : il est trop criard. Il est à motif de grosses fleurs rose bonbon éparpillées sur un fond pêche délavé. Je l'ai choisi quand j'avais sept ans et que papa habitait encore avec nous. J'ai adoré ce décor pendant des années. Je l'aime encore ; il me rappelle mon père. Je me mordille la lèvre pour éviter de me laisser émouvoir. Car, malgré sa valeur sentimentale, je sens que ce papier peint doit disparaître. Tout de suite.

Je me précipite en bas. Maman et Joe discutent dans le salon. Il y a à peine quelques mois, j'ai entendu ma mère dire à grand-maman qu'elle appréhendait le temps des fêtes cette année parce que j'étais si faible. Elle ne m'a jamais parlé de son inquiétude. De toute manière, elle n'avait pas besoin de me dire à quel point elle s'en faisait pour moi ; je le sentais. Elle se refermait sur elle-même de jour en jour, alors que Joe comblait ses longs silences en affichant une gaieté artificielle. Je comprends maintenant qu'elle devait se demander si j'allais vivre jusqu'à Noël.

Vu la réussite de l'opération, c'est comme si un gros nuage lourd s'était dissipé. Ils ont l'air aussi excités que deux adolescents qui vont à leur premier party.

Je les épie un instant. Ils sont en train d'essayer de faire tenir debout un immense sapin de Noël dans un coin de la pièce. Ils rient comme des gamins. Ils ne se sont pas rendu compte de ma présence. Je longe donc le couloir sur la pointe des pieds et j'ouvre le placard sous la cage d'escalier. C'est là que Joe range tous les pots de peinture.

Je me dépêche d'examiner l'assortiment de couleurs. Je n'ai aucune idée de ce que je cherche exactement, mais, à première vue, aucune d'entre elles ne fait l'affaire. Puis, un gros pot à moitié caché par une pile de seaux attire mon attention. Je le tire vers moi, me cognant les jointures dans ma hâte. Sous la poussière, l'étiquette indique que c'est un bleu poudre. C'est ce qu'il me faut. Je ressens un intense soulagement. Je fouille à nouveau le placard. Je prends un rouleau et le bac à peinture, et j'apporte le tout en catimini dans ma chambre, comme une voleuse.

Je pense que maman va me tuer quand elle sera au courant de ma manigance, mais ça ne m'empêche pas de mettre mon plan à exécution. Même si je voulais changer d'idée, je n'y arriverais pas.

– Becky !

– Je descends dans une minute, maman !

J'essuie une grosse goutte de peinture sur mon visage tout en vérifiant le résultat de mon travail. Bon, j'avoue que ce n'est pas un chef-d'œuvre, mais mon papier peint est bien recouvert de peinture. Malheureusement, une partie de mon tapis l'est aussi, et mon armoire et mon bureau sont tachés de grossières éclaboussures. Tant pis. Malgré le bordel, et même si j'aimais beaucoup ma chambre avant et que je ne comprends pas du tout pourquoi je viens de la repeindre, je me sens tellement mieux. Je peux enfin respirer. Mes murs sont d'un bleu ciel apaisant, comme une belle journée sans nuages. Je cache le bac, le rouleau et le pot de peinture vide sous mon lit, et je me dirige vers la cuisine.

– Joe arrive de magasiner.

Avec un petit air espiègle, maman fait un signe de la tête en direction d'une série de sacs de papier brun posés sur la table.

– Cool, dis-je en m'efforçant de sourire.

– Ta-da !

Joe nous présente ses emplettes comme un magicien qui ferait sortir des lapins d'un chapeau. Il a acheté toutes les décorations de Noël imaginables : des babioles scintillantes, des lanternes métalliques, des kilomètres de guirlande argentée, des tonnes de petites lumières à suspendre dans le sapin et dans la maison, quelques rennes gonflables et au moins trois bonshommes de neige décoratifs.

– Et voici la pièce de résistance !

Il exhibe fièrement un gros père Noël ultra-quétaine. Il appuie sur le bouton au bas de son dos, et le bonhomme se met à bouger la tête de gauche à droite et à bouger les bras de haut en bas comme un robot cinglé habillé de rouge.

– *Ho ! Ho ! Ho ! Joyeux Noël !*

Oh, mon Dieu ! Comme si elle n'était pas assez horrible, cette chose parle, en plus !

– Ouache ! C'est épouvantable ! Ça va faire peur à Danny !

– Mais non ! Il va adorer ça, dit maman d'un ton ferme.

– C'est Noël, ma belle !

Joe prend le bonhomme et le promène dans la cuisine. Maman rit de ses singeries et fait semblant de protester. Puis, Joe la saisit par la taille et ils se mettent à valser autour de la table. Je soupire de honte. Au même moment, Danny entre en trombe, à moitié trempé et couvert de neige.

– Qu'est-ce qui se passe ? me demande-t-il.

Il regarde Joe et maman d'un œil méfiant. Je me contente de hausser les épaules.

– Et c'est quoi, toutes ces marques bleues sur tes doigts ?

Je me cache immédiatement les mains derrière le dos tout en lui faisant signe de se taire. Mais maman a eu le temps de remarquer.

– Becky ? Qu'est-ce que tu as fait ?

– Euh... Rien. C'est-à-dire : pas grand-chose.

Il est trop tard pour mentir ; je suis cuite.

– Je... J'ai eu envie d'un petit changement, c'est tout.

– Quel genre de changement ?

Je détecte le doute dans sa voix. Ça ne sert à rien de repousser la vérité.

– J'ai juste rafraîchi ma chambre.

Maman se tourne vers Joe avec des yeux affolés, puis se précipite dans l'escalier. De ma chambre, elle lance un cri.

– Becky ! Bon sang, mais qu'est-ce qui t'a pris ?

Joe trouve la situation comique. Quant à maman, je vois dans ses yeux qu'elle compte rester fâchée contre moi toute la journée. Je me sens coupable d'avoir peint ma chambre, mais je n'arrive pas à expliquer ce qui m'a poussée à le faire.

Un peu plus tard, grand-maman et sa sœur, tante Vi, arrivent. Maman met sa mauvaise humeur de côté pour les accueillir. L'ambiance s'allège un peu. J'évite de les embrasser, de peur qu'elles couvent un rhume.

– Oooh ! Que c'est beau ! On se croirait dans la grotte du père Noël !

Grand-maman rit tout en se frayant un chemin à travers toutes les bébelles.

– Comme Becky va mieux, j'ai pensé faire les choses en grand, dit Joe.

Il prend la petite valise de grand-maman et lui fait un câlin.

– Je vois bien ça. Tu sembles pétante de santé, Becky. Pas vrai, Vi ?

– Oh oui !

Tante Vi habite près de chez mamie. Elle a trois chats horribles qui grimpent toujours sur son comptoir et qui dorment parfois dans sa huche à pain. Elle me tend un grand contenant en métal.

– J'ai fait quelques tartes.

Je jette un œil hésitant dans la boîte. Il doit y avoir au moins quarante tartelettes là-dedans.

– Merci, tantine.

– Les autres boîtes sont dans mon panier à roulettes.

Je regarde maman avec une grimace de dégoût. Elle me fait aussitôt de gros yeux qui veulent dire « Reste polie ».

– Tante Vi, vous n'auriez pas dû vous donner tout ce mal.

– Oh ! Il n'y a rien comme la cuisine maison ! s'exclame grand-maman.

À mon grand désespoir, tante Vi lui donne raison. J'essaie seulement de ne pas trop penser aux poils de chat qu'on avalera avec.

Malgré les tartelettes dégueulasses de tante Vi, ce Noël se révèle plutôt agréable, finalement. La neige qui est tombée dehors rend l'ambiance particulièrement chaleureuse et feutrée à l'intérieur. Maman me pardonne d'avoir peint ma chambre. Et, rapidement, la bonne humeur qu'elle et Joe manifestent nous gagne tous.

Pour la première fois depuis deux ans, la maison est remplie de rires et de plaisir. Tante Vi et mamie jouant aux charades est la chose la plus hilarante que j'ai vue depuis que Martin s'est habillé comme sa mère et s'est fait passer pour elle à une rencontre de parents à l'école. Il avait réussi à tromper monsieur MacNamara... pendant environ dix minutes.

La journée de Noël, une fois l'obscurité bien installée, on se blottit sur les canapés, dans le salon. Grand-maman sirote un verre de xérès et se rappelle la dernière fois qu'elle a vu Ruby, sa sœur (et donc celle de tante Vi !) qui habite maintenant aux États-Unis. Pendant ce temps, Danny et cette dernière s'adonnent à un nouveau sport extrême sur la console de jeux Wii. Joe fait semblant d'écouter et de regarder, mais il ne fait que hocher la tête. Maman se penche soudain vers moi et murmure à mon oreille : « Joyeux Noël, ma chérie. » Je me rends compte que je me sens bien pour la première fois depuis longtemps.

Quand j'y repense, retourner à l'école se passera peut-être mieux que je ne l'appréhende. Je me suis remise, et je prends de plus en plus de forces chaque jour. Bien sûr, j'ai changé un peu depuis que j'ai reçu ma greffe et il m'arrive de drôles de choses ces temps-ci, mais je sais que je peux désormais faire face à n'importe quoi.

Je suis en haut de l'escalier, en direction de ma chambre, quand cette vision m'apparaît. Quand « il » m'apparaît. Tout à coup, son visage se trouve là, devant moi. Il me fixe avec des yeux menaçants, la bouche crispée par la colère. Mon cœur fait trois tours. Je viens de comprendre que c'est le garçon que j'ai aperçu à l'hôpital.

Je réagis de la seule façon possible : je hurle.

– Becky, qu'y a-t-il ?

Maman et Joe grimpent l'escalier à toute vitesse, les yeux remplis de panique.

– Es-tu tombée ?

– Non, je... j'ai cru voir quelqu'un.

Ma voix tremble de manière incontrôlable.

– Qu'est-ce que tu veux dire par là ? Qui as-tu vu ?

– Un visage. Le visage d'un garçon.

– Mais quel garçon ? demande Joe. Est-ce que Danny a fait des bêtises ?

– Non, ce n'était pas Danny. Ce garçon me fixait et pouf ! il a disparu !

– Voyons, Becky, tu imagines des choses.

Maman met son bras autour de moi, tandis que Joe vérifie le palier et jette un œil dans les chambres et la salle de bain. J'enfouis mon visage dans le chandail de maman, en essayant d'oublier ce que j'ai vu.

– Il n'y a personne, ma belle. Ce doit être la lumière qui a vacillé et t'a donné cette illusion.

Joe ne réussit pas du tout à me convaincre.

– Dis-moi, tu ne t'es pas servi un verre du xérès de grand-maman, j'espère ?

– Bien sûr que non, maman !

L'expression sur leur visage me montre qu'ils ne me croient pas. J'ai envie de pleurer, mais je refoule mes larmes.

– Tout va bien là-haut ?

Mamie et tante Vi nous regardent du bas de l'escalier.

Tout endormi, Danny se traîne les pieds dans le couloir.

– Qu'est-ce qui se passe ?

– Rien. Retourne te coucher.

– Alors, pourquoi est-ce que vous criez ?

– On ne crie pas, mon chéri. C'est juste Becky qui a cru voir quelqu'un, c'est tout. Mais il n'y a personne.

– Est-ce que c'était un fantôme, Becky ? Est-ce qu'il tenait sa tête sous son bras ?

Danny est maintenant tout éveillé, les yeux écarquillés d'excitation.

Mon cœur se met à battre très fort.

– Ne dis pas de bêtise, Danny. Les fantômes n'existent pas.

Le ton ferme et assuré de maman ne parvient pas à me calmer.

– Je veux le voir, moi aussi ! Ce n'est pas juste. C'est seulement à Becky que ces choses-là arrivent.

Joe indique à Danny de retourner à sa chambre.

– Il n'y a pas de fantôme dans la maison, mon coco. Désolé de te décevoir. Maintenant, va te recoucher.

J'entends tante Vi chuchoter bruyamment.

– L'âme des morts... Elle ne trouve pas toujours son chemin vers l'autre côté. Quelque chose la retient parmi nous.

– Je t'en prie, tante Vi, ça suffit. Tu vas effrayer les enfants.

– Non, non, je n'ai pas peur du tout, réplique Danny.

Quant à moi, elle ne peut pas m'effrayer plus que je ne le suis déjà.

Le garçon m'apparaît à une autre occasion avant que je recommence à aller à l'école.

Je suis concentrée à chercher mon manuel de français dans le fond de ma garde-robe quand, soudain, je tourne la tête et je le vois à la porte de ma chambre. J'ignore pourquoi il est là. J'ai le souffle coupé. Son air hostile me prend par surprise et me glace le sang. Mon cœur cogne de plus en plus fort ; d'abord parce que j'ai peur, mais aussi parce que j'ai le sentiment de connaître ce garçon.

Je suis complètement pétrifiée. Il faut que je lui parle. J'essaie de dire quelque chose, mais ma bouche est sèche et je n'arrive pas à prononcer un mot. Puis, une seconde plus tard, il a disparu. Serait-il mon donneur ?

Je suis en état de choc. J'ai beau vouloir chasser cette image de ma tête, elle ne bouge pas. Et les paroles de tante Vi au sujet de « l'âme des morts » me résonnent encore dans les oreilles. Ouah, j'en ai des frissons. Je cherche un sens à tout ça ; quel casse-tête ! Si c'est mon donneur qui me hante, pourquoi est-ce que je vois toutes ces autres choses ? Comme le parc, la maison aux volets, et cette petite fille ?

Dans la salle de bain, je me penche au-dessus du lavabo et j'asperge mon visage d'eau froide. En me relevant, au lieu d'apercevoir mon reflet dans le miroir, je vois un lac avec une petite île couverte de ronces. J'ai peur. Je cligne des yeux. Quand je les rouvre, l'image s'est évanouie, mais je jurerais entendre encore le clapotis des vaguelettes contre la bordure de béton qui ceinturait le bassin.

Le lundi matin, je suis soulagée de recommencer l'école. En moins d'une demi-heure, je suis prête. Hier soir, j'ai accroché mon uniforme et préparé mon sac à dos, ce que je n'ai jamais eu l'habitude de faire avant d'être opérée. Cependant, j'ai mal dormi et j'ai ouvert les yeux bien avant que mon réveille-matin ne se mette à sonner.

– Déjà prête ? Tu sembles avoir hâte de retourner en classe, s'étonne Joe.

Dans la cuisine, je trie rapidement les comprimés que je dois prendre durant la journée.

– Bien sûr qu'elle a hâte, Joe. Ses amies sont de retour à l'école depuis quelques semaines déjà. Ça fait longtemps qu'elle ne les a pas vues.

Je les laisse croire que c'est pour ça que je suis si anxieuse. Il faut dire que c'est un peu vrai. J'ai clavardé avec Léa, Julie et Alicia, et elles m'ont invitée à les accompagner à des fêtes ou au centre commercial, mais l'idée d'attraper une horrible bactérie m'a toujours empêchée d'y aller. Je m'ennuie d'elles maintenant et j'ai hâte de rattraper tous les potins. Je suis même curieuse de savoir si Martin et Shannon sont encore ensemble ou s'ils ont vécu une grande rupture hollywoodienne. Mais la véritable raison pour laquelle je veux retourner en classe, c'est pour oublier toutes les choses étranges qui m'arrivent depuis quelques semaines.

– Bon, tu as tout ?

Maman se gare le plus près possible de l'entrée de la cour.

– Oui, je crois bien.

Je regarde nerveusement par la vitre de la voiture les hordes d'enfants qui convergent vers la cour. Ils rient, crient et bavardent joyeusement. En passant tous ces longs mois à la maison, j'ai oublié à quel point les écoles sont bondées et bruyantes. Je suis prise de panique tout à coup ; je ne suis pas sûre d'être capable d'y aller. Puis, au milieu de cette mer d'étudiants, j'aperçois Léa et Julie qui me cherchent du regard. Je me calme un peu.

– Si tu as besoin de moi, n'oublie pas que tu peux m'envoyer un texto. Tu vas me contacter s'il y a quoi que ce soit, n'est-ce pas, Becky ? Allez, je suis certaine que tout va bien se passer.

Un petit sourire réconfortant se dessine au coin de ses lèvres.

– Ne t'inquiète pas.

J'essaie de croire que tout ira à merveille et de la rassurer en me montrant optimiste. Je prends mon sac d'école et me prépare à sortir de l'auto. Puis, j'hésite encore et reste clouée à mon siège, incapable de faire le premier pas de géant qui me propulsera dans cette jungle.

Ma montre indique qu'il est huit heures cinquante. C'est le moment d'y aller. J'ouvre la portière d'un geste décidé.

– Salut, maman. Je t'aime.

Aussitôt descendue de la voiture, je rassemble tout mon courage pour passer le portail de la cour. Je me fraie un chemin jusqu'à Léa et Julie. Une bande de garçons de première secondaire qui courent après un ballon de soccer foncent vers moi. Ils sont si concentrés sur leur jeu qu'ils passent près de me renverser. Je m'écarte de leur chemin, et je heurte sans le vouloir deux filles plus vieilles que moi qui jacassent comme des pies.

La plus grande me crie sa façon de penser tandis que l'autre me fixe d'un regard glacial, à travers ses cils maquillés de mauve.

– Hé ! Regarde où tu vas !

– Désolée.

– Becky !

Je me retourne pour voir qui m'appelle. C'est Alicia. Elle accourt pour me faire un gros câlin.

– Hé ! Salut ! Alors, c'est vrai, tu es là !

Je suis super contente de la voir, mais je garde une distance malgré moi.

– Qu'est-ce qui se passe ?

– Oh, rien.

Je lui fais une brève accolade, en espérant secrètement qu'elle n'a pas un vilain rhume. Ça y est, la glace est brisée. C'est bon d'être de retour.

18

– Je suis certaine que vous êtes tous très contents de revoir Becky après sa longue absence.

Mademoiselle Dupont m'envoie un de ses sourires les plus radieux, qui expose généreusement ses gencives.

– Au nom de toute la classe, je te souhaite bon retour, Becky. Tu nous as beaucoup manqué. J'espère que tu sauras vite reprendre la routine scolaire pour bien te préparer aux examens du Ministère de l'an prochain.

– Merci, mademoiselle Dupont.

Je me sens rougir. J'observe Shannon du coin de l'œil. Elle est assise à quelques pupitres du mien, affairée à se limer les ongles. De toute évidence, elle ne s'est pas du tout ennuyée de moi. Elle ricane et chuchote quelque chose à l'oreille de Martin, assis entre elle et moi.

– Shannon, as-tu une question ou un commentaire à partager avec nous ? demande mademoiselle Dupont.

Pitié, pas ça. Après trois ans à enseigner ici, elle devrait avoir compris qu'il ne faut jamais encourager Shannon à « partager » quoi que ce soit. Je ferme les yeux et serre les dents, incrédule et résignée.

– Ben, je me demandais comment Becky se sent ; je veux dire, ça lui fait quoi d'avoir un nouveau cœur ?

Toute la classe braque les yeux sur moi. Je fonds sur ma chaise. Heureusement, mademoiselle Dupont vient à ma rescousse et répond à ma place.

– Je suppose qu'elle se sent soulagée et très heureuse de la chance qu'elle a eue. C'est ça, Becky ?

Je fais signe que oui, tout en rougissant davantage.

– Euh, ouais, je sais, sauf que... Je veux dire, là, l'organe de quelqu'un d'autre se trouve à l'intérieur d'elle. Ce n'est pas rassurant. En tout cas, c'est bizarre, non ? On ne sait pas à qui ça appartenait, avant.

– À quelqu'un qui est mort, lance bêtement Martin.

– Hé ! Ça suffit !

Martin et quelques-uns de ses amis étouffent des rires mesquins. Shannon balance ses longs cheveux hirsutes derrière son épaule et continue sa tirade.

– En tout cas, à sa place, je n'aimerais pas ça.

– Eh bien, tu as beaucoup de chance d'être en bonne santé, Shannon. Becky était gravement malade avant de recevoir sa greffe.

Mademoiselle Dupont m'envoie un sourire navré.

– Bon. Continuons. Prenez vos cahiers d'exercices et préparez-vous à prendre des notes, s'il vous plaît.

Elle se tourne face au tableau et commence à écrire. Martin échange avec Shannon un regard complice et plein de malice. Puis, il se penche vers moi et chuchote : « Hé, petit rat de laboratoire, fais-nous voir ta cicatrice ! »

Je plonge la tête dans mon cahier. Je m'applique à inscrire soigneusement la date, en feignant de l'ignorer. Sauf que, dans le cas de Martin, une telle réaction le provoque encore plus.

– Ta grand-mère a dit à ma mère qu'elle était longue comme ça !

Fier d'avoir attiré l'attention de tout le monde, Martin écarte les mains jusqu'à ce qu'elles soient à environ un mètre l'une de l'autre. Damien et William pouffent de rire, ce qui incite Martin à ouvrir encore plus grand les bras.

– Non, attendez : elle est longue comme ça !

– Martin, tu es tellement con, lui souffle Léa en me regardant avec sympathie.

En temps normal, je ne perdrais pas mon temps à répliquer à Martin. Mais je suis triste et déçue de ce que Shannon a fait et je n'ai pas envie de laisser cette colère mijoter en dedans de moi.

– Ferme-la, Martin ! Tu n'es pas drôle.

Shannon prend aussitôt sa défense.

– Ah oui, c'est vrai, on n'est pas aussi drôles que toi, miss Frankenstein.

Mademoiselle Dupont s'éloigne du tableau.

– Shannon, je ne veux plus t'entendre dire un mot. Et toi, Martin Otis, arrête d'agiter les bras comme ça. Vous serez tous les deux en retenue ce soir.

– Quoi ? répondent en chœur Martin et Shannon. Mais ce n'est pas juste, mademoiselle !

Léa me fait un clin d'œil et essaie tant bien que mal de cacher son sourire. Shannon me fusille du regard. Si elle avait réellement des pistolets à la place des yeux, je serais déjà réduite en poussière.

– Ignore-les, me dit Léa.

Il pleut. On traverse la cour de récréation à toute vitesse pour se rendre à la cafétéria.

– Shannon est la pire des idiotes. Et Martin est un parfait imbécile, ajoute Alicia.

– Et s'il y en a une qui connaît bien Martin, c'est toi, Alicia, ajoute Julie d'un ton espiègle. Tu es sortie avec lui.

– Oh, juste une fois, et ç'a été nul ! rétorque Alicia en roulant des yeux. C'était probablement la pire erreur de ma vie, jusqu'à présent.

– Si pire que ça ?

– Écoute, j'ai passé deux heures à attendre qu'il réussisse le niveau dix d'un jeu vidéo vraiment idiot ; une demi-heure à essayer de me faufiler par la minuscule fenêtre d'une salle de bain pour entrer au cinéma sans payer – en plus, j'ai déchiré ma robe –, et tout ça pour n'attraper que les cinq dernières minutes du film le plus abrutissant au monde. Par-dessus le marché, il m'a tombé sur les nerfs toute la soirée avec son imitation de poisson.

– Son imitation de quoi ?

– Laisse tomber.

– C'est incroyable ; mon petit frère est plus mature que lui, soupire Léa.

La salle grouille de monde et le vacarme est assourdissant. On dirait que toute l'école a décidé de s'entasser ici. Il faut jouer des coudes pour se frayer une place. Des odeurs fétides de cheveux détrempés par la pluie, de corps chauds et de survêtements moites stagnent dans l'air. Alicia, Julie et Léa ne semblent pas trop s'en apercevoir. Elles passent les grandes portes et s'enfoncent dans la foule. J'hésite.

Léa se retourne.

– Qu'y a-t-il, Becky ?

– Rien.

Je jette un œil sur ce grand chaos. Il y a tellement de gens. Tellement de bactéries. Soudain, Julie presse le pas.

– Dépêche-toi, Becky, sinon il ne restera plus de frites. Elles ne sont servies que le lundi, maintenant, et il finit toujours par en manquer.

– Je n'ai pas très faim.

– Ne sois pas ridicule.

Léa me prend par le bras et m'entraîne dans la salle.

– Cet après-midi, on a un cours de math avancé avec monsieur MacNamara. Il faut que tu avales quelque chose qui va te soutenir.

Je ne sais pas trop ce qu'il y a dans mon assiette, ni ce que je mange. Je n'ai qu'une idée en tête : sortir d'ici au plus vite.

Deux gars de première secondaire s'approchent avec leurs plateaux et s'arrêtent derrière nous. Ils cherchent des places pour s'asseoir ensemble, mais il ne reste que quelques sièges vides ici et là, donc un juste à côté de moi. Le plus vite des deux s'en empare en décochant un sourire triomphant. L'autre, moins chanceux, me tape dans le dos du bout du doigt, que je devine sale avec l'ongle à moitié rongé.

– Est-ce que tu as terminé ?

Au moment où je me retourne pour lui répondre, je vois ses traits se tordre en une étrange grimace. Il renverse la tête vers l'arrière, ferme les yeux et, avant que j'aie le temps de m'éloigner de sa ligne de tir, il éternue en m'aspergeant tout le visage. Il s'essuie ensuite le nez avec la manche de sa chemise.

Horrifiée, je fige pendant une demi-seconde. Puis, je me lève d'un bond si brusque que je renverse ma boisson sur toute la table et je me sauve en courant.

– « Berci » beaucoup ! me crie l'enrhumé.

Je les entends éclater de rire tous les deux.

J'emprunte le couloir bondé de monde, je passe la porte d'un pas pressé et je me précipite dans la cour. La pluie a cessé. À part quelques garçons qui jouent au ballon, il n'y a personne dehors. Je me rends jusqu'au chêne tout en prenant de bonnes bouffées d'air. Je sors de ma poche une lingette antibactérienne, et je me nettoie frénétiquement le visage.

– Becky... Est-ce que je devrais aller chercher de l'aide ? Un prof, peut-être ?

Je lève les yeux vers Léa. Je retrouve peu à peu mon souffle et mon calme. Je chiffonne la lingette et je la lance dans une poubelle, tout près.

– Non, n'alerte personne, je t'en prie. Ça ira mieux dans un instant.

– Qu'est-ce qui t'arrive ? C'est ton cœur ?

Je porte la main à mon thorax pour sentir mon pouls à travers mes vêtements.

– Mon cœur va bien.

– Allons, on ferait mieux de rentrer au chaud.

Une fois à l'intérieur, on s'assoit près des cases.

– Raconte-moi ce qui ne va pas, Becky, me demande-t-elle sur un ton plus solennel.

Léa est ma plus grande amie. Je l'ai connue à l'âge de trois ans, à la garderie. Elle m'avait vengée quand Harry Lewis m'avait mis du sable plein les cheveux, en lui lançant une boule de pâte à modeler. On est des amies depuis ce jour-là. Elle fait partie de cette catégorie de filles qui savent ce qu'il faut faire, peu importe ce qui arrive. Ce doit être parce qu'elle s'occupe toujours de son petit frère qu'elle est si débrouillarde.

– Ce n'est rien. J'ai juste peur de retomber malade.

– Mais je pensais que tu allais bien, maintenant ?

– Oui, et c'est vrai... Mais ce n'est pas si simple que ça. Il faut que je prenne des tas de médicaments pour empêcher mon corps de rejeter mon nouveau cœur. Le problème, c'est qu'ils affaiblissent mon système immunitaire ; ça veut dire que je peux attraper des rhumes ou d'autres infections plus facilement. Ce qui risque d'entraîner des problèmes cardiaques.

– Mais tu ne vas pas passer toute ta vie à t'inquiéter à propos de chaque petite bactérie. Il y en a partout. Tu vas devenir complètement dingue si tu t'en fais sans arrêt !

Elle a peut-être raison. Mes peurs sont en train de me rendre folle ; c'est sans doute pour ça que je vois des choses qui ne sont pas vraiment là. Je la regarde en me mordillant la lèvre.

Mais Léa me connaît trop bien. Elle sait qu'il y a autre chose qui me tracasse.

– Dis-moi tout.

– Si je te le raconte, tu me promets de n'en parler à personne ?

– Juré, promis. Tu peux avoir confiance en moi, Becky.

On échange un sourire. Je prends une bonne respiration, pendant que Léa scrute mon visage.

– Il m'est arrivé quelque chose depuis l'opération.

Je suis soulagée d'en parler enfin à quelqu'un. Je pèse mes mots avant de poursuivre.

– Depuis quelque temps, je… je vois des choses. Des choses qui ne sont pas vraiment là.

– Que veux-tu dire par « voir des choses » ? Quel genre de choses ?

Je hausse les épaules.

– C'est difficile à expliquer. Et c'est peut-être parce que je suis en train de perdre la boule que ça arrive, alors…

– Becky, dis-moi : qu'est-ce que tu as vu ?

– Des endroits qui me sont très familiers, mais où je ne suis jamais allée. Par exemple, un grand parc et une rue – toujours la même – et, un peu plus loin, une maison aux volets verts. Et c'est comme si je connaissais cette maison dans ses moindres détails : chaque tuile sur le toit, chaque plante dans le jardin. Mais je ne comprends pas pourquoi ; je n'ai jamais mis les pieds là-bas.

Léa a l'air perplexe.

– Et… ce n'est pas tout. Il y a quelqu'un qui m'apparaît. Je ne l'ai jamais rencontré, mais j'ai l'impression qu'il a toujours été là.

– Un gars ?

– Oui. Il est à peu près de notre âge. Peut-être un peu plus vieux.

– C'est qui ?

– Je ne sais pas. En tout cas, il est très fâché… et je sens que c'est ma faute.

– Pourquoi serait-il fâché contre toi si tu ne le connais même pas, Becky ?

Après un long silence, je réussis enfin à lui dire ce qui me trotte dans la tête depuis un moment.

– C'est peut-être mon donneur...

– Becky ! Ne fais pas ça ! dit-elle fermement en me fixant.

– Quoi donc ?

– Ne te reproche surtout pas d'avoir ce nouveau cœur.

– Qu'est-ce que tu veux dire ?

– Le donneur, garçon ou fille, est mort. Et ça, ce n'est pas ta faute ! Cette personne a signé sa carte de don d'organes parce qu'elle voulait que, à son décès, quelqu'un d'autre puisse bénéficier de son cœur.

Pendant quelques minutes, on reste sans rien dire, plongées dans cette réflexion.

– Penses-tu que je suis en train de devenir folle ?

– Mais non, ne sois pas ridicule, répond Léa avec aplomb.

Je devine toutefois, à son air perplexe, qu'elle n'en est pas si certaine.

Le lendemain, je manque l'école pour aller à mon suivi hebdomadaire à l'hôpital, avec maman. La salle d'attente est bondée, les rendez-vous sont en retard. On rencontre l'infirmière de l'accueil, puis on prend les deux dernières chaises libres, dans un coin de la salle. Une fille aux cheveux dorés, coupés au carré, est assise à côté de moi. Elle me regarde et me tend gentiment le magazine qu'elle a sur les genoux.

– Tiens, dit-elle. C'est le numéro de ce mois-ci. Il y a plein de mannequins incroyablement minces, avec des vêtements incroyablement chers. Comme dans le numéro du mois dernier.

Elle sourit, et ses yeux verts pétillent de d'espièglerie.

– Merci.

Elle porte un haut bleu à col rond, bordé de dentelle verte. À la base de son cou, je remarque une cicatrice qui descend vers le bas de sa poitrine ; c'est une ligne blanche toute fine, un peu gonflée. Je détourne rapidement mon regard, mais il est trop tard : elle a vu que je l'observais.

– Je m'excuse. Je ne voulais pas être impolie, dis-je avec embarras. La mienne est encore très rouge.

Je veux qu'elle sache que je ne l'épiais pas par insolence.

– Ne t'en fais pas. Si elle ne pâlit pas, demande un remboursement, répond-elle avec un petit sourire.

Je commence à feuilleter le magazine qu'elle m'a donné. Au fond, j'aimerais bien continuer à bavarder avec elle, sauf que je ne sais pas vraiment quoi dire.

– Tu veux une boisson de la machine distributrice ? me demande-t-elle quelques minutes plus tard.

– Oui, d'accord.

J'adresse un regard à maman, qui me fait signe d'y aller. De toute manière, le petit garçon de six ans qui avait rendez-vous avant moi vient tout juste d'entrer dans la salle de consultation avec ses parents. Ils en ont pour vingt minutes, sinon plus.

J'accompagne donc la fille à la vieille machine distributrice, au bout du couloir. Elle se tourne vers moi avec un air très sérieux.

– Bon, il y a une chose que tu dois savoir, dit-elle. Le café goûte le thé, et le thé goûte le café. Les deux ressemblent à de l'eau de vaisselle et sentent les vieilles chaussettes. Mais, à ce que je sache, personne n'est encore mort d'avoir bu le chocolat chaud.

– Hmm, je sens qu'on va se régaler, dis-je avec un air blagueur.

Nous insérons nos pièces de monnaie dans l'appareil et attendons nos boissons.

– Je m'appelle Audrey. Je suis ici pour mon suivi annuel, me dit-elle.

J'apprends qu'elle a presque dix-huit ans, et qu'elle a eu sa greffe à l'âge de huit ans.

– Je suis née avec un cœur brisé, dans le vrai sens du mot, explique-t-elle. Alors, le jour où j'ai reçu ma greffe a été le plus beau de ma vie. J'avais enfin la chance de vivre.

– Donc, tout s'est bien passé pour toi, par la suite ?

– Ben oui. La preuve, je suis encore ici, à boire ce misérable poison !

Elle éclate de rire, puis elle poursuit.

– Évidemment, je ne me souviens pas de l'opération, mais il faut croire qu'elle a bien réussi. J'ai mis du temps à reprendre des forces, parce que j'étais vraiment malade avant de subir la greffe. Mais maintenant, je mords dans la vie à pleines dents !

Elle prend une gorgée de son chocolat chaud et grimace de dégoût.

– Beurk !

Je hume le mien avec dédain.

– Ouah ! Dis donc, que mettent-ils là-dedans ?

– C'est probablement mieux de ne pas le savoir, suggère-t-elle.

Je remonte le col de mon chandail de manière à me recouvrir la gorge.

– Moi aussi, j'étais gênée de ma cicatrice au début, me confie-t-elle après une certaine hésitation. Je voulais que personne ne la voie. Et un jour, je me suis dit : « Tant pis ! » Elle fait partie de moi, elle témoigne de ce que j'ai vécu. Maintenant, je l'appelle mon souvenir de bataille. Et, si quelqu'un m'interroge ou m'agace à ce sujet, je réponds que je me suis fait ça en luttant contre un ours. D'ailleurs, c'est une super bonne façon de briser la glace pour commencer une conversation avec un gars.

Je pouffe de rire. Puis, je lui pose la question qui me brûle les lèvres.

– T'es-tu sentie différente après avoir reçu ta greffe ?

– Oh oui ! Pour la première fois de ma vie, je pouvais enfin faire du sport, danser, monter à cheval, pratiquer toutes les activités que j'étais incapable d'entreprendre auparavant.

Un grand sourire illumine son visage.

– L'an prochain, je vais suivre une formation pour devenir monitrice d'équitation, ajoute-t-elle. J'ai tellement hâte ! Avant, je ne pouvais même pas rêver de faire ça un jour.

Elle me lance un regard inquisiteur.

– Et toi ? me demande-t-elle.

– Eh bien, un virus a attaqué mon cœur il y a quelques années. On m'a inscrite à la liste d'attente prioritaire, et j'ai reçu ma greffe en octobre dernier. Mais depuis, j'ai changé.

– Tout le monde change, concède Audrey en hochant la tête et en sirotant son chocolat.

– Audrey, après avoir reçu ton nouveau cœur, as-tu...

Je me demande si je devrais continuer ou non. Je décide de plonger.

– As-tu déjà, euh... T'arrive-t-il parfois de... voir des choses ? Ou de te souvenir de lieux ou de gens que tu ne connais pas ou que tu n'as jamais vus auparavant ?

– Non, jamais. Pourquoi ?

Je commence à lui expliquer ce qui m'arrive depuis que j'ai subi mon opération il y a quelques mois.

– Wow, dit-elle dès que je finis de tout lui raconter. Je n'ai jamais entendu parler d'une chose pareille. Pourtant, j'ai rencontré des tas de personnes qui sont passées par là elles aussi, mais aucune ne m'a rapporté ce genre d'expérience.

– Je me demande si c'est juste mon imagination qui me joue des tours.

– Eh bien, se faire greffer un nouveau cœur, ça représente un changement beaucoup plus important qu'une coupe de cheveux. Ça peut être assez troublant, si on se met à trop y penser. Et n'oublie pas que tous ces médicaments que l'on doit prendre nous embrument parfois le cerveau.

– Becky ! Tu es la suivante pour les tests sanguins !

Une voix que je connais bien m'appelle au bout du couloir. C'est Nathalie, l'une de mes infirmières préférées.

– À plus tard, Audrey ! dis-je en pressant le pas pour me rendre à la salle d'examen.

Notre visite à l'hôpital paraît interminable. Comme d'habitude, je subis plein de tests et de prises de sang. En plus, Sahasra veut vérifier mon niveau de forme physique. Pendant une demi-heure, à intervalles réguliers, elle me fait marcher et courir sur un tapis roulant tout en respirant dans un masque. En sortant de la séance, je suis complètement crevée. La salle d'attente est déserte. Audrey a probablement terminé tous ses tests elle aussi et est repartie chez elle.

Maman et moi retournons à la voiture. Aussitôt après avoir quitté le stationnement, nous nous retrouvons dans un terrible bouchon de circulation. Nous restons sur place pendant une dizaine de minutes et devons éventuellement faire un détour.

– Zut ! soupire maman.

Nous sommes obligées de rouler lentement derrière une longue file de voitures et d'emprunter une série de petites routes étroites. J'ai l'impression qu'on s'éloigne de plus en plus du chemin que l'on devait prendre.

– À ce rythme, ça m'étonnerait qu'on arrive à la maison avant minuit, ronchonne ma mère. Prends mon téléphone, s'il te plaît, et passe un coup de fil à mamie. Demande-lui si elle peut aller chercher Danny à l'école.

J'appelle donc ma grand-mère et bavarde quelques minutes avec elle. Mais, au beau milieu de la conversation, j'aperçois quelque chose par la vitre de l'auto et j'arrête soudainement de parler. De l'autre côté de la route se trouve la porte d'entrée du parc qui apparaît dans ma tête depuis quelque temps. C'est ce parc où je ne suis jamais allée, mais que je crois connaître par cœur. Il est exactement comme je l'ai visualisé. Un large sentier goudronné mène au kiosque à musique, et un autre serpente jusqu'au *skatepark* et au lac, situés plus loin. On ne les voit pas d'ici, mais je sais qu'ils sont là. Je suis complètement ébahie, je n'arrive pas à y croire.

– Becky ? Allô ? Es-tu toujours là ?

La voix de grand-maman résonne dans le téléphone. J'essaie de parler, mais je suis incapable d'émettre un son. Nous passons devant les grilles du parc. La paume de mes mains est toute moite.

– Oh, excuse-moi, grand-maman. Oui, je suis là... Tout va bien. Mais nous allons arriver tard à la maison.

Je cherche frénétiquement d'autres points de repère dans les environs ; j'ai besoin de savoir exactement où nous sommes.

– Devrais-je passer prendre Danny à l'école, alors ?

De l'autre côté du parc, une grande et vieille église avec un long vitrail poussiéreux trône entre deux immeubles de bureaux. Je m'étire le cou pour lire son nom sur le panneau vétuste installé à l'entrée. Je crois voir « Saint-Bar-quelque-chose ».

– Allô ? Becky ? J'ai dit : devrais-je passer prendre Danny à l'école ?

– Oh, désolée. Oui, s'il te plaît, grand-maman.

– Alors, à plus tard, ma chérie. Bonne route.

Je lui dis au revoir distraitement tandis que je pose un dernier coup d'œil sur le parc avant que nous tournions sur une autre rue et qu'il disparaisse de ma vue.

Nous voici enfin à la maison. Grand-maman a fait cuire des saucisses et des pommes de terre pour Danny.

– Il en reste. Si tu as faim, Becky, je t'en servirai une assiette.

– Merci, mais je n'ai pas recommencé à manger de la viande.

L'odeur de la saucisse me monte au nez ; j'essaie de ne pas grimacer.

– Je dois cuisiner des plats végétariens pour Becky, maintenant, soupire maman.

Elle raconte ensuite le long détour qu'on a dû suivre pour rentrer à la maison.

– Ah, c'est tout près de l'endroit où je suis née, nous dit grand-maman. C'est là où il y a la boucherie, sur la rue High.

Pendant que je me prépare une tartine au beurre d'arachides, je décide de décrire le parc à ma grand-mère.

– Oui, je vois c'est lequel, dit-elle avec un hochement de tête. Il est juste en face de l'église Saint-Barthélémy. J'allais là-bas chaque dimanche pour suivre des cours avec tes grand-tantes, Vi et Ruby, quand nous étions petites. Et, pendant l'été, quand il faisait beau et que nous étions sages, le vicaire nous permettait de prendre des tapis et des coussins et de les emmener au parc, de l'autre côté de la rue. On chantait à tue-tête près du kiosque à musique. À ce moment-là, il n'y avait pas de *skatepark*, comme vous dites, mais on parcourait quand même tous les sentiers sur nos patins à roulettes. Ruby s'amusait toujours à fabriquer des petits bateaux de papier qu'elle faisait flotter sur le lac.

– Est-ce qu'il y a une petite île en forme de fer à cheval ?

– Oui, en effet. Les canards y font leur nid, et quelques hérons aussi, si ma mémoire est bonne. Je me rappelle ces beaux grands oiseaux.

Elle me regarde avec un air confus.

– Mais on ne voit pas le lac de la rue. Tu es donc déjà allée là-bas ?

Mon pouls s'accélère. Que lui répondre ? Je hausse les épaules.

– Euh, juste dans mes rêves, grand-maman, dis-je le plus calmement possible.

C'est dimanche matin. En me réveillant, je suis soulagée de me rendre compte que ce n'est pas un jour d'école. Après cette première journée traumatisante lundi dernier, j'ai survécu au reste de la semaine. D'autant plus qu'à partir du jeudi, Martin et Shannon en ont enfin eu assez de me taquiner. Le retard que j'ai pris dans chaque matière durant mon absence m'a donné un peu le vertige, mais malgré cela, c'était agréable de retrouver mes amis.

Je ne vois plus le garçon qui m'est apparu à quelques reprises, mais je pense à lui sans arrêt. Même en ce moment, alors que je regarde par la fenêtre avec hésitation, je ne peux m'empêcher de me demander qui il est.

Dehors, le soleil brille, il y a quelques petits nuages qui flottent dans le ciel tout bleu, mais il semble faire froid. Je suis vraiment tentée de retourner me blottir dans mon lit chaud et douillet et de me rendormir. Mais je ne peux pas. J'ai planifié ce que je vais faire aujourd'hui depuis que maman et moi sommes passées devant l'entrée de ce parc. Pas question de changer d'idée. Je suis déterminée à y aller, coûte que coûte.

J'enfile mon vieil ensemble de jogging bleu. Je ne l'ai pas porté depuis deux ans ; l'élastique à la taille est un peu plus serré qu'avant, mais il me fait encore. Il faut dire que je n'ai pas beaucoup grandi pendant toute la période où j'étais malade. Le haut est vraiment agréable à porter ; quand je monte la fermeture éclair au complet, le col m'arrive juste sous le menton. Le capuchon est chaud, et les manches sont assez longues pour me couvrir les mains ; je les retiens toujours dans mes poings pour me sentir bien enveloppée. De cette manière, j'ai l'impression d'avoir une armure et d'être protégée. Puis, je mets mes chaussures de course. Elles sont usées, mais confortables comme des pantoufles. Enfin, je lisse mes cheveux vers l'arrière et les attache en une petite queue de cheval pour me dégager le visage, et je dévale l'escalier.

Avant de sortir, j'aperçois mon reflet dans le miroir de l'entrée. Pendant quelques secondes, je me revois il y a trois ans, me préparant à aller m'entraîner. À cette époque-là, maman et moi vivions seules toutes les deux et elle ne ratait jamais une de mes courses. En m'examinant de plus près, je suis un peu déçue de l'allure que j'ai. Mon visage est crispé, j'ai un air inquiet, comme si je manquais totalement de confiance. Toute mon énergie et ma vitalité ont été drainées. La bonne vieille Becky que j'étais autrefois a été changée par quelque chose d'invisible à l'œil : un virus microscopique. Pour la plupart des gens, ces quelques bactéries ne causent rien d'autre que des éternuements et un nez bouché. Dans mon cas, elles ont fait tout un ravage. Oh, je ne veux plus voir mon image ; je détourne le regard.

– Tu sors courir, Becky ? demande Joe, étonné, en me voyant passer dans la cuisine.

Il a arrêté de m'embêter avec ça depuis un certain temps.

– Je vais probablement juste me promener, dis-je sur un ton aussi naturel que possible. Mais... ce sera peut-être une longue marche ; je serai partie pour un bon moment.

Je me sers un bol de céréales et j'étale sur le comptoir tous les médicaments que je dois prendre.

– Bonne idée. Il fait très beau aujourd'hui.

– J'y vais avec toi ! propose Danny.

– Non, non.

– Becky, ce serait peut-être agréable qu'il t'accompagne.

– Non, ce ne serait pas cool. Désolée, petit tannant, tu restes ici.

– Je faisais juste une blague, marmonne Danny en prenant une cuillerée de céréales. Je n'avais pas vraiment envie d'y aller de toute manière.

– Parfait.

Il se penche la tête si près de son bol que je ne peux plus voir son visage. Je me sens coupable ; j'essaie de me racheter.

– On pourrait jouer à un jeu ou faire quelque chose ensemble quand je reviendrai.

Il lève les yeux vers moi et sourit à belles dents, ce qui me donne encore plus de remords.

Après avoir mangé, je me faufile dans le salon. Je prends furtivement le vieux plan de la ville sur l'étagère, et je le glisse dans mon sac à dos avec mon porte-monnaie. Un frisson de nervosité me traverse. C'est la première fois que je sors toute seule depuis ma greffe ; maman vient encore me conduire et me chercher à l'école tous les jours.

Je retourne à la cuisine comme si de rien n'était. Je reste plantée sur le seuil de la porte pendant un instant, regrettant presque de laisser Danny derrière.

– Quand tu reviendras, on pourrait construire un abri, suggère-t-il.

– OK… si tu veux.

Joe me jette un regard par-dessus son journal.

– À plus tard, dit-il. Sois prudente.

Il est tôt. Je ne croise pas beaucoup de monde dans les rues, sauf quelques personnes bien emmitouflées dans leurs manteaux qui promènent leur chien, ou d'autres qui joggent avec entrain. Je marche d'un bon pas, déterminée à trouver des réponses à mes questions. J'ai besoin de savoir si tout ce qui m'est arrivé dernièrement n'était que le fruit de mon imagination ou si c'était bel et bien réel. La seule façon de le faire, c'est d'aller au parc que j'ai entrevu l'autre jour.

Après une heure de marche, je commence à être fatiguée. Je m'effondre sur un banc, près d'un arrêt d'autobus, et je sors de mon sac le plan de la ville que j'ai apporté, car je ne connais pas très bien les environs. Zut ! D'après la carte, je suis encore à des kilomètres du parc.

Une femme s'assoit à ma droite avec deux petits enfants. La plus jeune, une fillette d'environ deux ans, vient coller son visage gommé sur mon épaule. Elle agite ensuite dans les airs sa bouteille toute mâchouillée, et je me fais aussitôt arroser de gouttelettes de lait chaud qui se répandent sur mon ensemble de jogging. Juste au moment où je tente de m'éloigner un peu d'elle, un monsieur âgé pose ses fesses à ma gauche. Me voilà maintenant coincée entre eux, plutôt mal à l'aise.

Je regarde autour de moi. La ville s'éveille et les rues commencent à grouiller de monde. Je me demande si c'est une bonne idée de poursuivre mon chemin. J'envisage sérieusement de retourner à la maison, quand tout à coup un autobus arrive. D'après l'enseigne, il roule dans la direction où je veux aller. En plus, il est pratiquement vide. La porte s'ouvre, et je monte.

Alors que le bus redémarre, je me dirige vers l'arrière et je m'affale sur un siège dans le coin, au fond, loin des autres passagers. Je fais attention de ne toucher à rien.

J'examine encore la carte et je constate que l'autobus m'amènera tout près du parc. J'essaie donc de relaxer. Puis, à mesure que nous nous approchons du cœur de la ville, le trafic augmente et ralentit notre cadence. Nous avançons bientôt à la vitesse d'un escargot ; le chauffeur, résigné, appuie sa joue sur son poing fermé. La plupart des sièges sont maintenant occupés. Je m'enfonce dans le mien autant que je le peux, en veillant à ne pas laisser mes mains, mes cheveux ou mon cou nu entrer en contact avec le tissu crasseux sur lequel je suis assise.

Soudain, j'ai terriblement chaud et je me sens mal. Je prends une lingette antibactérienne dans mon sac et je m'en couvre les doigts pour ouvrir un peu la fenêtre sans toucher à quoi que ce soit. Mais elle ne bouge pas, elle est coincée. Je respire profondément et je tente de me calmer. Nous arrêtons devant un grand musée, et une foule de gens monte dans l'autobus. Ils s'entassent comme des sardines dans l'allée, respirant dans la figure des uns et des autres. Après quelques minutes, je n'en peux plus.

Je me lève et je me faufile dans cette marée humaine jusqu'à la sortie. Je demande à descendre en appuyant frénétiquement sur le bouton. Des passagers me regardent d'un air étrange, mais je me fous de ce qu'ils pensent. Tout ce que je veux, c'est sortir de là. Quand l'autobus s'immobilise enfin et que les portes s'ouvrent, je descends en vitesse et prends une grande bouffée d'air frais.

Je ne sais pas où je suis. Je tourne sur moi-même pour essayer de m'orienter. La rue est bondée de gens qui circulent devant moi comme si j'étais invisible. Mon angoisse monte, et ma respiration se fait rapide et bruyante. Je me retire dans l'entrée d'un magasin, le temps de me calmer. Je sors mon plan de la ville et je m'efforce de le comprendre. Au bout d'un moment, je repère enfin le parc sur la carte. Je suis encore tentée de retourner à la maison en courant, mais je chasse rapidement cette idée de mon esprit et je m'élance dans la bonne direction ; en tout cas, je l'espère.

Vingt minutes plus tard, je me trouve devant deux grandes portes en fer. Je regarde à travers les barreaux tandis que les cloches de l'église derrière moi carillonnent dans mes oreilles.

Je vois le kiosque à musique au bout du sentier pavé ; il est jonché de déchets et d'emballages de plats à emporter. Il n'y a pas de chaises de parterre autour, comme dans mon rêve. Nerveuse, je prends mon courage à deux mains, puis je passe les portes en m'attendant quasiment à ce que le sentier se dérobe sous mes pieds comme par magie. Heureusement, ce n'est pas ce qui se produit ; il demeure aussi ferme et raboteux qu'un chemin goudronné doit l'être par un matin froid de février. Je constate que même les trous dans la chaussée sont aux bons endroits, là où je les ai imaginés. Je grimpe sur la plateforme en bois et je parcours sa circonférence. J'effleure de la main le dos d'une colonne ; mes doigts s'y promènent et rencontrent ce que j'étais certaine d'y trouver : les mots « Mick Prince aime Shona » gravés dans la peinture. Je me demande bien qui est Mick Prince et j'espère qu'il aime encore Shona.

Je descends du kiosque et je me dirige lentement vers le *skatepark*. De l'autre côté du parc, des canards cancanent sur la rive boueuse du lac. Ils engloutissent de gros morceaux de pain rassis que de vieilles dames et de petits enfants leur lancent. Et, plus loin, sur la petite île en forme de fer à cheval, je vois cinq nids de hérons, aux allures préhistoriques.

Je continue à déambuler dans le parc. C'est surréaliste pour moi d'être ici. Je me sens comme si j'avais traversé un écran de cinéma et abouti dans un film. Je suis tellement émue que j'en ai la chair de poule.

Il y a quelques gars qui s'exercent au skate. Ils ont tous l'air sérieux et sont concentrés à exécuter leurs prouesses devant leurs amis et les promeneurs qui passent par là. À part quelques « Wow ! » et quelques « Oups ! », tout ce qu'on entend est le cliquetis des roulettes sous les planches des skateurs. Ceux-ci font des sauts et des figures au-dessus des rampes couvertes de graffitis, qu'ils grimpent et dévalent à une telle vitesse qu'ils en effleurent à peine la surface.

Soudain, je prends conscience que je connais par cœur les courbes et l'angle de la pente de chaque rampe. Je reconnais également la vieille camionnette stationnée un peu plus loin, transformée en casse-croûte. D'ailleurs, une vague odeur de friture et de hamburger me parvient aux narines ; elle s'insinue dans mon nez et redescend dans ma gorge, me causant un léger haut-le-cœur.

C'est comme si ce parc avait attendu patiemment que je le découvre. Tout se trouve exactement là où je l'avais imaginé. Je m'y sens étrangement calme et heureuse. Je décide de m'installer pour admirer les acrobaties des skateurs. Je m'assois sur un banc, en prenant soin d'éviter l'extrémité chambranlante. La planche cassée n'est pas visible, mais je sais qu'elle est là. Au bout d'un certain temps, le ciel commence à se couvrir et le soleil se cache. L'air se refroidit, et je grelotte un peu. Je jette un coup d'œil à ma montre ; ça alors ! Ça fait déjà une éternité que je suis partie de la maison.

Connaissant maman, elle doit être morte d'inquiétude et se demander où je suis. Je me sens coupable. Je sors mon cellulaire de ma poche pour lui envoyer un message texte et lui dire que je vais bien. Mais, quand j'essaie d'allumer mon appareil, rien ne se produit. Zut ! J'ai oublié de le brancher hier soir. Maman va être fâchée. Quand je pars pour l'école, elle me répète sans cesse de vérifier si mon téléphone est bien chargé pour pouvoir la joindre en tout temps au cas où j'aurais un malaise. « Tu ne sais jamais à quel moment tu pourrais en avoir vraiment besoin », affirme-t-elle.

Bon, je décide de retourner tout de suite à la maison. Je range mon téléphone dans mon sac. Puis, soudain, mon cœur fait trois tours et s'emballe sans raison apparente. En l'espace de quelques secondes, il se met à cogner très fort dans ma poitrine et j'ignore pourquoi. Suis-je en train de retomber malade ? Je regarde autour de moi et m'apprête à appeler à l'aide quand j'aperçois quelqu'un se diriger vers moi. Je comprends tout de suite qui c'est, et je fige de terreur. C'est lui : il a la même taille, la même carrure, le même visage et la même chevelure. C'est le gars en colère qui m'est apparu à plusieurs reprises.

Je me lève d'un bond. Dans mon élan de panique, j'échappe mon sac et presque tout son contenu se disperse sur le sol. Mon porte-monnaie atterrit grand ouvert et mes pièces s'éparpillent dans l'herbe. Mes pots de médicaments roulent dans le sentier. Je jure entre mes dents et je m'efforce, bien maladroitement, de tout rassembler. Un bras se tend au-dessus du mien et ramasse mon téléphone.

– J'en avais un pareil, dit-il froidement.

Il examine mon cellulaire en le tournant dans sa main et il essaie de l'allumer.

– Ouais, eh bien, on dirait que tu l'as ruiné, ajoute-t-il.

– C'est juste la pile qui est à plat...

J'ai voulu dissimuler la peur dans ma voix, mais je ne crois pas avoir réussi. Je garde la tête baissée, et je n'ose qu'une seule fois observer le garçon du coin de l'œil. Est-ce réellement celui qui est apparu dans mes étranges visions ? En le voyant de si près, je n'en suis pas si sûre. Ses cheveux bouclés noirs tombent en désordre sur son front et cachent son regard. Il les repousse d'un geste impatient de la main, puis m'observe de ses yeux de jais que je découvre enfin. Le souvenir terrifiant de la nuit où j'ai vu son visage en colère en haut de l'escalier me revient. Je m'imagine maintenant les pires scénarios. Oh ! J'aimerais être à des millions de kilomètres d'ici ! Je me demande si j'arriverais à le semer si je partais en courant.

– Ma sœur a échappé le mien dans ma tasse de café, raconte-t-il d'une voix plus chaleureuse et amicale.

Un petit sourire en coin illumine son visage et révèle la blancheur de ses dents parfaitement droites. Il me tend mon téléphone en me fixant droit dans les yeux.

– C'était un accident, ajoute-t-il. Elle m'a offert d'utiliser le sien, mais... comme il est rose, j'ai laissé tomber.

Je suis figée comme une statue. Je reste pantoise, tandis qu'il me dévisage.

– Il y a quelque chose qui ne va pas ? demande-t-il, un peu dérouté.

Je prends mon téléphone et je le remets dans mon sac.

– Désolée... Euh... Je pensais te connaître, mais... euh... Je...

Bon, génial. Je dois avoir l'air d'une parfaite idiote, en plus de bafouiller comme une imbécile. Si elle était un petit oiseau perché à un arbre et qu'elle pouvait m'observer en ce moment, Julie serait morte de rire.

– Ouais, c'est drôle, ton visage m'est familier aussi...

Que sait-il à mon sujet ? Me voilà complètement pétrifiée. Il réfléchit quelques secondes, puis, ne sachant où il m'a vue, hausse les épaules.

– Tu vas à l'Académie, c'est ça ? C'est tellement grand.

– Non... En fait, euh... je n'habite pas dans les environs. Je...

Il me regarde avec curiosité prendre un paquet de lingettes antiseptiques et le remettre dans mon sac.

– Je devrais y aller, dis-je.

Il m'aide à récupérer le reste de mes affaires. Je suis tellement perplexe que j'ai la tête qui tourne. Si c'est le même gars qui m'est apparu, alors c'est impossible que ce soit mon donneur, puisqu'il est en vie. Il n'a rien d'un fantôme. Alors, qui est-il ? Ce garçon en chair et en os est complètement différent de celui que j'ai vu en songe. Il n'a pas une once de colère ou de méchanceté, et rien de menaçant. Je dirais même qu'il a un brin de tristesse dans les yeux. Mais je reste méfiante. J'ai vu assez de films d'horreur pour savoir que le méchant, c'est toujours celui qu'on trouve beau et gentil, celui qu'on ne soupçonne pas.

Maintenant que j'ai tout remis dans mon sac, je me relève d'un bond et je lui dis « Merci ! » avec une gaieté nerveuse dans la voix. Puis, je m'éloigne le plus rapidement possible. Mais, à peine trois pas plus loin, je commence à me sentir étourdie.

– Ça va ?

Il accourt près de moi, le visage inquiet, et pose son bras sous le mien.

– Oui... Ça va. Merci. J'ai dû me relever trop vite. Ne t'inquiète pas. Je vais...

– Tu ferais mieux de t'asseoir une minute, dit-il.

Je le laisse me guider vers le banc, puis je prends quelques bonnes respirations.

– Ce serait peut-être mieux que je te raccompagne chez toi, propose-t-il. Tu n'as pas l'air de te sentir très bien.

Il ramasse un emballage en aluminium rempli de comprimés que j'ai oublié par terre.

Je glisse rapidement mes médicaments dans mon sac et lui lance un regard oblique. Puis-je lui faire confiance ?

– Non, je vais bien, je t'assure.

– Oui, je vois. Mais je t'accompagne quand même, juste au cas.

Il s'appelle Sam, il a quinze ans et vit avec sa famille dans un appartement en face du parc. Nous sommes assis côte à côte sur le banc et bavardons un peu. Il est étonné d'apprendre dans quel quartier j'habite.

– Mais pourquoi viens-tu ici ? C'est tellement loin de chez toi.

Je hausse les épaules et j'évite son regard.

– Je suis passée devant le parc en voiture avec ma mère, l'autre jour. J'ai eu envie de revenir le visiter. Il a quelque chose d'unique.

Les yeux rivés sur le lac, il regarde attentivement un héron voler très bas au-dessus de l'eau.

– Je viens ici très souvent, dit-il calmement. On avait l'habitude de...

Il hésite, secoue légèrement la tête, puis s'efforce de faire un petit sourire en coin avant de poursuivre.

– On raconte qu'il y a un poisson qui vit dans ce bassin depuis au moins cinquante ans.

– Cinquante ?

– Peut-être plus.

– Je n'y crois pas.

– Je n'y croyais pas, moi non plus. Alors, l'été dernier, on est entrés en douce après la fermeture du parc, au beau milieu de la nuit. Il n'y avait pas un chat... pas un bruit. On a jeté dans l'eau des grains de maïs et des miettes de biscuits pour chiens, et on a attendu une éternité. J'étais tellement fatigué que j'ai fini par m'endormir. Quand je me suis réveillé, il faisait froid. Mon ami me regardait avec un grand sourire de vainqueur. Il avait vu le poisson ; il mesurait presque deux mètres de long, avait gobé tout ce qui flottait à sa portée, puis était redescendu sous l'eau.

– Pourquoi ton ami ne t'a-t-il pas réveillé ?

– Parce que, selon lui, le poisson sera là pour cinquante autres années, alors il a jugé que j'avais amplement le temps de le voir.

Je regarde les gens qui se promènent en bateau sur le lac en ramant paisiblement. Je me demande s'ils ont déjà entendu parler du monstre qui les guette sous la surface. Un petit frisson me remue.

– Tu as froid. Allons-y.

En se levant, il regarde lentement les alentours, comme s'il attendait quelqu'un, mais tous les skateurs sont partis depuis un bon moment.

– Sam ?

– Oh, désolé... Je voulais juste... Rien. Allons-y.

Il met mon sac sur son épaule et on emprunte le sentier qui mène aux grandes portes à l'entrée du parc.

– Je peux très bien rentrer toute seule. Tu n'as pas besoin de me raccompagner. Ça ira, je t'assure.

– Je sais.

On échange un sourire. Pour la première fois, je ne vois aucune tristesse dans ses yeux. Et je ne peux m'empêcher de constater à quel point il est beau.

En marchant, on parle de tout et de rien, sauf de ma maladie ou de ma greffe de cœur. Disons que ce n'est pas le genre de sujet que je peux facilement glisser dans une conversation sans créer un malaise total. Et puis, je ne veux pas que Sam sache ce qui m'est arrivé.

On arrive au bout de ma rue. Je suis un peu déçue à l'idée que, dans quelques minutes, il tournera les talons, m'enverra la main et sortira probablement de ma vie pour de bon. Je ne suis pas prête à lui dire au revoir. Habituellement, les seuls gars qui m'adressent la parole sont ceux qui veulent obtenir le numéro de cellulaire d'Alicia. Mais là, c'est différent. C'est vrai que je suis flattée d'avoir son attention, mais si je veux tant continuer à lui parler, c'est surtout parce qu'il y a encore plein de choses que j'aimerais comprendre.

Aujourd'hui, j'ai eu la preuve que les choses qui me sont apparues en songe existent bel et bien. Elles ne sont pas simplement le fruit de mon imagination débordante ou des effets secondaires causés par les médicaments puissants que je dois prendre. J'ai rencontré Sam pour vrai, et j'ai réellement marché avec lui, en chair et en os, dans ce parc.

Mes visions doivent avoir une signification. Mais quelle est-elle ?

– Je n'arrive pas à te saisir, Becky.

– Que veux-tu dire ?

Je lâche un petit rire nerveux.

– Il y a quelque chose à propos de toi que je ne pige pas.

Je m'efforce de sourire, mais je ne sais pas quoi dire.

– Je vis avec ma mère, ma tante et trois sœurs... Chez nous, même le chien est une femelle. Elles sont toutes arrogantes, contrôlantes, bruyantes, désordonnées et très maquillées. Leurs sujets préférés sont les *boys band* et les potins. Pour être bien honnête, la plupart du temps, c'est un soulagement de sortir de la maison. Mais toi, tu es différente. Tu es un mystère... Tu es tellement calme. Et pourtant, sous ton air réservé...

– C'est peut-être juste parce que tu ne me connais pas très bien.

– J'imagine que tu as raison.

– Ma maison est là, à gauche, avec la porte rouge.

– Becky ?

Je me tourne vers Sam. Ses yeux noirs sont tout à coup sérieux et pensifs.

– Quand on était dans le parc, pourquoi as-tu dit que tu pensais me connaître ?

Je hausse les épaules, puis je cherche à gagner du temps en tournant autour du pot. Est-ce que je devrais tout lui dire ? C'est l'occasion idéale.

Le courage me manque ; je me défile.

– Euh... Je ne sais pas... J'ai dû confondre et te prendre pour un autre gars. Ça peut arriver.

– Oui, bien sûr.

Il semble déçu.

– Est-ce que ça t'arrive souvent de prendre de parfaits étrangers pour des gens que tu connais ?

– À l'occasion.

J'esquisse un petit rictus. Je l'observe du coin de l'œil, et je vois qu'il sourit aussi. Est-ce que je peux avoir confiance en lui ? J'ai vraiment envie de croire que oui. Je prends le risque de pousser la conversation un peu plus loin.

– Ou bien... je t'ai peut-être déjà rencontré.

– Où ? Tu veux dire dans une autre vie ou quelque chose comme ça ? demande-t-il en fronçant les sourcils. Dans un genre de réincarnation ?

– Est-ce possible ? dis-je en cherchant à lire l'expression sur son visage.

Il réfléchit durant un moment.

– Avec la chance que j'ai, je reviendrais sous forme d'insecte, blague-t-il.

Puis, il constate que je suis sérieuse.

– Tu crois vraiment à ces choses ? me demande-t-il encore.

– Je ne sais plus en quoi je crois.

On fige devant le portillon de la clôture sans savoir quoi se dire. Du coin de l'œil, je vois Danny soulever le rideau de sa chambre. Les cheveux dressés sur la tête et le visage abattu par l'ennui, il colle son petit nez contre la vitre. Quelques secondes plus tard, maman ouvre la porte d'entrée et se plante dans l'embrasure en croisant les bras. Elle semble furieuse.

– Je ferais mieux d'y aller, dis-je à Sam.

– Est-ce que je peux te revoir ?

Mon cœur bondit de joie. Je fais signe que oui.

– Crois-tu que ta mère va me tuer si je viens te chercher samedi matin ?

Il jette un regard furtif à maman, qui est rouge de colère.

– Rejoins-moi au bout de la rue.

– À quelle heure ?

– Onze heures...

– Becky ! crie maman, impatiente.

– Il faut vraiment que j'y aille.

Je remonte à la hâte le petit chemin qui traverse la cour jusqu'à la maison, en me retournant pour voir partir Sam.

– Becky, où étais-tu passée ? Tu avais dit que tu sortais faire une promenade. Une promenade ! Tu as été partie pendant cinq heures !

– Je n'avais pas l'intention de m'absenter si longtemps, maman. J'ai essayé de t'envoyer un texto, mais ma pile était déchargée.

– On était fous d'inquiétude ! On se faisait du mauvais sang ! Joe a parcouru les environs en voiture pour essayer de te trouver et moi, j'ai appelé dans tous les hôpitaux, car je pensais qu'il t'était arrivé un malheur.

– Je suis vraiment désolée.

– Désolée ? (De grosses larmes se mettent à couler sur ses joues.) Oh ! Becky, comment as-tu pu nous faire vivre ça ?

Je décide de ne rien raconter à maman au sujet de Sam ni de ma journée. De toute façon, comment pourrais-je expliquer quoi que ce soit, puisque je ne comprends pas moi-même ce qui m'arrive ? Et puis, toute vérité n'est pas bonne à dire ; si elle apprend que je vois des choses et des gens, elle va vraiment paniquer. Je préfère donc taire une partie des faits et me contente de marmonner que Sam est juste un gars que je connais. Elle suppose qu'il va à la même école que moi, et c'est parfait comme ça.

– Tu es un peu jeune pour sortir avec des gars, Becky. Il faut que tu te concentres sur la matière à rattraper ; tes examens de fin d'études secondaires sont l'an prochain, me sermonne Joe.

– Je ne « sors » pas avec des gars !

Je proteste en lui lançant un regard agacé ; il sent toujours le besoin d'intervenir et ça m'énerve.

– Becky, ça suffit ! se fâche maman. Nous avons tous les deux passé la journée à nous faire du mauvais sang pour toi.

Son visage est crispé. J'ai honte de lui avoir causé autant de soucis.

– Je te demande pardon. Et Sam est juste un ami. Je le jure.

En réalité, je viens à peine de le rencontrer. Pourtant, j'ai l'impression de le connaître depuis des années. C'est tellement étrange, puisque je ne sais presque rien de lui.

Léa est la seule personne avec qui je suis amie depuis longtemps. On a grandi ensemble. Au fil de nos années à l'école primaire, on a joué, on a eu des chicanes, et on s'est réconciliées maintes fois. On a passé des étés complets à se déguiser avec de vieux rideaux en voile et à créer du parfum avec des pétales de rose. C'est la seule à qui je me suis confiée quand maman et papa se sont séparés.

Quand on a commencé l'école secondaire, on a continué à être comme les deux doigts de la main et à tout partager : devoirs, potins, vêtements. On faisait partie de l'équipe de course à pied, toutes les deux, et on s'encourageait mutuellement durant les compétitions, tout particulièrement en novembre, quand il faisait froid et humide. Et, lorsque je suis tombée malade et que j'avais des journées plus difficiles où j'arrivais à peine à sortir de mon lit, elle a toujours pris le temps de m'envoyer des textos pour me remonter le moral, même si elle devait s'occuper de son petit frère.

Un peu plus tard, quand maman a retrouvé son calme, je décide de lui parler d'une chose qui me tient maintenant très à cœur.

– Maman, je ne veux plus que tu me conduises à l'école. Je veux m'y rendre à pied avec mes amies, comme avant.

– Ça ne me dérange pas de te déposer, Becky. C'est sur mon chemin pour me rendre au travail.

– Maman, je t'en prie, j'ai quatorze ans !

D'un regard, elle consulte Joe, dont le visage s'allonge. Soudain, elle doute que ce soit une bonne idée.

– Avec ce qui est arrivé aujourd'hui…, hésite-t-elle.

– Il n'est rien arrivé aujourd'hui ! J'ai juste oublié l'heure, c'est tout. Je regrette de t'avoir inquiétée. Mais je t'assure que tu peux me faire confiance. Je suis capable de me débrouiller toute seule.

– Je suppose que marcher te fera du bien, c'est un bon exercice… Et si tu rencontres tes amies, tu ne seras pas seule. Mais ton téléphone doit toujours être chargé. D'accord ?

– Oui, je te le promets !

Je lui fais un gros câlin. Je me dis que c'est enfin le moment de reprendre ma vie en main. Je m'empresse d'envoyer un texto à Léa.

Lundi matin, je pars à pied pour l'école, qui est à moins de deux kilomètres de la maison. Depuis que j'ai fait la connaissance de Sam, je me sens plus forte et plus brave, et j'en suis vraiment heureuse. Ça me prouve que j'ai fait de grands progrès dans ma guérison. Tout va peut-être enfin revenir dans l'ordre.

J'aperçois Julie et Alicia qui m'attendent un peu plus loin, près du kiosque à journaux. Je les salue de la main.

On poursuit notre chemin pour aller rejoindre Léa tout en parlant de son party du mois prochain. On taquine Julie au sujet du gars pour qui elle a un faible, même si elle jure que ce n'est pas vrai. On dirait le bon vieux temps, avant que je tombe malade.

– Alors, comment vas-tu, Becky ? demande Julie quand on approche de chez Léa.

Je me prépare à leur parler de Sam, mais je vois Julie lancer un regard à Alicia, qui secoue la tête en lui faisant de gros yeux, comme pour dire : « Ne fais pas ça. »

– Qu'y a-t-il ?

– Rien, répond Julie.

Elles me regardent maintenant toutes les deux.

– Allez, dites-moi ! demandé-je avec un petit sourire forcé. (Elles échangent un autre regard.) Mais qu'est-ce qui se passe ?

– Eh bien... C'est juste qu'on se demande..., commence Alicia.

– Léa m'a dit que..., poursuit Julie sans oser me regarder.

– Quoi ?...

Julie rougit et se mordille les lèvres ; elle fait ça seulement quand elle est nerveuse, ou quand monsieur MacNamara la chicane.

Alicia glisse son bras sous le mien.

– Ce n'est rien, Becky. Léa a juste confié à Julie que, depuis ton opération, tu...

J'ai le souffle court. Je redoute la suite.

– Eh bien, que... Tu vois des choses.

– Des choses vraiment bizarres, ajoute Julie.

J'explose.

– Léa m'a promis qu'elle n'en parlerait à personne !

– Ne t'en fais pas, c'est juste à moi qu'elle l'a dit.

– Et tu l'as raconté à Alicia.

Les deux filles se lancent une œillade pleine de culpabilité.

– Tu n'as pas répété ça à personne d'autre, j'espère ?

– Non... Pas vraiment.

Julie n'ose toujours pas me regarder dans les yeux. Mon estomac se noue.

– Zut, Julie... À qui ?

– J'en ai comme glissé un mot à... Sophie Morgan.

– *Sophie Morgan* ? Tu as dit ça à la plus grande commère de toute l'école ?

– Ouais... Mais elle a promis sur la tête de sa sœur qu'elle n'en soufflerait rien.

J'ai envie de vomir. À cette heure-ci, tout le monde de notre année, sinon l'école au complet, sait que Becky Simon, la fille qui a subi la greffe cardiaque, a d'étranges visions. Deux filles de deuxième secondaire passent devant nous et je me retourne aussitôt. Trop tard : l'une d'elles me dévisage, puis chuchote quelque chose à son amie, qui me zieute d'un air ahuri.

– Je, euh... Je dois y aller.

– Becky ?

– Tu ne viens pas avec nous chercher Léa ?

– Je vous verrai à l'école.

Je m'éloigne d'un pas pressé tout en sentant leurs regards dans mon dos. Léa est la dernière personne sur terre que je veux voir en ce moment.

J'entre dans ma classe. Vingt-neuf paires d'yeux se braquent sur moi d'un seul coup et le bourdonnement des conversations cède la place à un silence de plomb. J'avais raison : dans notre école, les potins circulent à la vitesse de l'éclair. Visiblement, tout le monde est déjà au courant. Le bouche-à-oreille que Léa a commencé s'est répandu comme une traînée de poudre. Comme au jeu du téléphone, l'information a sûrement été déformée d'un messager à l'autre, et toutes sortes d'histoires abracadabrantes doivent maintenant se raconter à mon sujet.

Les élèves qui se tenaient au milieu de la classe se dispersent rapidement pour me laisser passer. On dirait qu'ils ont peur que je les touche, comme si j'étais contagieuse.

Damien se met à fredonner l'air de la série *La quatrième dimension*, qui donne des frissons. William et un groupe de gars se mettent à ricaner. Shannon prend un malin plaisir à voir mes joues s'empourprer. Elle souffle quelque chose à l'oreille de Martin, qui éclate de rire.

J'ai envie de sortir de la classe en courant. Mais je sais que, si je le fais, ça va aussitôt confirmer toutes les rumeurs.

Je rassemble mon courage et je continue mon chemin jusqu'à mon pupitre, où je m'assois enfin. Julie et Alicia arrivent, suivies de Léa ; je fais semblant de fouiller dans mon sac, mais cette dernière vient directement vers moi.

– Becky, je suis tellement désolée ! me chuchote-t-elle.

– Désolée d'apprendre qu'elle est complètement zinzin ? s'esclaffe Shannon avec sarcasme. Ha ! Ha ! Elle est bonne, celle-là !

– Mêle-toi de tes affaires, Shannon, prévient Léa. Ça ne te regarde pas.

Léa se retourne vers moi, mais Shannon n'a pas fini sa tirade. Celle-ci ne fait que commencer.

– Excuse-moi, mais je trouve que oui, justement, ça me concerne. Et ça concerne tout le monde qui se trouve ici, aussi.

Shannon fait une pause de deux secondes avec une expression très théâtrale et poursuit d'une voix mielleuse :

– Levez la main, ceux qui sont heureux d'avoir une dégénérée dans la classe ?

Damien et William se font des sourires moqueurs, puis lèvent leurs mains haut dans les airs en les agitant comme des maniaques. Leur grossière bouffonnerie déclenche aussitôt une série de fous rires dans la classe.

– Ne sois pas méchante, Shannon, proteste Léa. Tu essaies juste de semer le trouble.

– Moi ? C'est toi qui as dit à Julie que Becky est devenue bizarre depuis son opération. Si tu te rappelles, j'ai affirmé dès le départ que je ne trouvais pas ça naturel d'avoir une partie du corps de quelqu'un d'autre cousu à l'intérieur de soi.

– Ne l'écoute pas, Becky. Et je t'assure, je n'ai pas voulu que tout le monde le sache. Je te le jure.

Léa se tourne vers moi, mais j'évite de croiser son regard. Je suis furieuse ; tout ceci est sa faute. Elle a trahi la confiance que j'avais en elle.

– Alors, Becky, ce cœur usagé appartenait à qui, avant ?

Tout le monde se tourne à nouveau vers moi, impatient d'entendre la réponse. Je suis piégée.

– Je... Je ne sais pas.

– Quoi ? Tu ne le sais pas ? Incroyable ! Tu n'as même pas pris la peine de poser la question ?

Je n'ai vraiment pas envie d'avoir cette conversation, ici, maintenant, mais je suis dans une impasse.

– Bien sûr que j'ai cherché à le savoir ! Mais les médecins ne dévoilent pas l'identité du donneur. On n'a pas le droit d'avoir cette information. C'est comme ça que ça fonctionne.

– Ouais, et on sait pourquoi ! Ha ! Ha ! Ils peuvent te refiler n'importe quel vieux cœur. Ils ne te diront quand même pas qu'il appartenait à un bandit, à un psychopathe ou à un tueur. Ils ne te révèleront pas ça, hein ?

Les mots blessants de Shannon me font l'effet d'une gifle en plein visage. Et je me surprends à penser qu'elle a raison. Je suis horrifiée. La personne qui m'a donné son cœur était peut-être mauvaise. Comment savoir ?

À voir la grimace hautaine de Shannon, il est clair qu'elle s'amuse beaucoup en ce moment. Certains de mes compagnons de classe étouffent de petits rires nerveux. Les autres m'observent du coin de l'œil, mais je ne sais pas trop ce qu'ils pensent de tout cela. Dans leur opinion, je ne suis plus la bonne vieille Becky Simon d'avant. Je suis devenue « la fille bizarre qui a un mauvais cœur », celle qui voit et fait des choses étranges.

– Ta grand-mère a dit à ma mère que tu étais devenue végétarienne depuis ta greffe, grimace Martin. Tu sais quoi ? Hitler aussi était végétarien !

J'en ai assez. Je me lève et me rue vers la porte.

– Becky, arrête ! me supplie Léa.

Je me retourne vers elle, rouge de colère.

– Je croyais que tu étais mon amie !

– Je le suis...

– Eh bien, oublie ça. Je ne veux plus jamais te parler.

Léa me fixe, blanche comme un drap. Je lance un dernier coup d'œil à cette bande de visages souriants et satisfaits du spectacle, puis je quitte la classe.

– Wôôôô, pas si vite !

Un complet en polyester gris et une cravate vert bouteille me bloquent soudainement la sortie.

– Becky ? Ne devrais-tu pas être en classe en ce moment ? Il est neuf heures quinze. Ça fait au moins dix minutes que la cloche a sonné, mademoiselle.

Oups. Je suis peut-être complètement détraquée, mais j'ai encore un peu de dignité. Il n'est pas question que je fonde en sanglots devant monsieur MacNamara.

– Ça va ? me demande-t-il en me toisant par le haut de ses verres à double foyer.

– Pas vraiment, monsieur, marmonné-je en fixant le plancher pour éviter de croiser son regard.

Je me demande si les rumeurs à mon sujet sont déjà parvenues aux oreilles du personnel de l'école.

– Bon, allez. Dépêche-toi d'aller au bureau de madame Andrews. Elle va prendre soin de toi.

– Oui, monsieur.

Il s'en va d'un pas pressé, me laissant partir sans poser plus de questions.

Madame Andrews est occupée. Elle vérifie rapidement si c'est mon cœur qui me cause des problèmes. Quand elle voit que ce n'est pas le cas, elle m'envoie m'asseoir dans la petite infirmerie. Ça fait longtemps que je ne suis pas venue dans cette pièce froide et sombre. Durant les mois avant mon opération, c'était ma deuxième maison.

Après un temps interminable, madame Andrews comprend enfin que je ne suis pas malade et m'ordonne de retourner en classe. Je calcule qu'il ne reste que dix minutes avant la pause, alors je file en douce aux toilettes des filles et je m'enferme dans un cabinet.

C'est le royaume des bactéries et le dernier endroit où je veux être, mais c'est le seul où je peux m'isoler. Heureusement, j'ai un magazine. Je le sors de mon sac à dos et l'étale sur le couvercle de la toilette. Je prends soin de ne toucher à rien, puis je m'assois. J'utilise ensuite mes dernières lingettes antibactériennes pour me nettoyer les mains à fond.

Je fixe misérablement les murs couverts de graffitis du petit cubicule. Mes yeux se posent soudain sur les mots **Becki Simon est une folle**, gribouillés plusieurs fois en grosses lettres tracées au marqueur noir. Je ferme aussitôt les paupières. J'essaie de toutes mes forces de m'imaginer ailleurs qu'ici, dans ce lieu puant.

En quelques secondes, je me visualise dans un grand espace inondé de lumière et ceinturé d'une clôture barbelée. L'air de la nuit est froid. Plus loin, dans l'obscurité, j'aperçois des visages aux traits flous. Certaines personnes m'adressent des regards ou font des gestes furtifs dans ma direction ; ils semblent me connaître, et je suis certaine de les connaître aussi.

Ça me trouble encore et ça m'effraie de m'évader ainsi dans mon autre monde. Le son strident de la cloche qui annonce la récréation me fait sursauter et me ramène à la réalité. J'entends des portes claquer et des voix se répandre dans le couloir. Ma vision s'estompe, et je frissonne.

Je m'isole de plus en plus des autres, à l'école. On pourrait croire que c'est impossible, avec mille huit cents élèves et une armée de professeurs qui passent sept heures par jour, cinq jours par semaine ici. Mais je comprends rapidement le sens du dicton *On peut se sentir très seul dans une foule*.

Dans la plupart des cours, je m'assois à l'arrière de la classe. Le midi, je m'installe près des cases pour manger mon lunch toute seule, au lieu d'affronter la cohue à la cafétéria. Quand il y a des assemblées, je me cache dans le vestiaire des filles. Puis, je réussis à me faire exempter de l'éducation physique en faisant croire à madame Baudelaire que je dois ménager mon nouveau cœur. Elle a tellement peur que j'aie une attaque cardiaque pendant ses cours qu'elle m'envoie les passer à la bibliothèque. Là-bas, derrière les étagères, je suis à l'abri des regards.

Finalement, je vais bien. Moins je croise de personnes à l'école, mieux je me porte. De cette manière, je n'entends pas ce qu'elles racontent à mon sujet et ne m'expose pas à leurs bactéries.

À vrai dire, c'est plutôt facile de rester à l'écart des autres, puisqu'ils m'évitent. En me voyant arriver, des personnes avec qui je me tenais avant m'ignorent ou changent carrément de direction. Martin et Shannon continuent à me mitrailler de moqueries, bien sûr. Mais, heureusement, j'ai très peu de cours avec eux. J'apprends vite à connaître et à contourner les endroits où ils traînent. Et, si l'un ou l'autre se dirigent vers moi, je m'esquive avant qu'ils n'aient le temps de me repérer. Je continue à me rendre à pied à l'école, mais je ne croise plus Léa, Alicia et Julie. Je suppose qu'elles empruntent maintenant un autre chemin.

J'ai encore des visions du parc, de la maison aux volets et de plein d'autres endroits. Parfois, une grande fille aux cheveux blonds et des gens dont j'ignore le nom m'apparaissent aussi. Je n'ai peut-être aucun contrôle sur ce que je vois, mais au moins, j'ai de la compagnie. Peu importe ce qui m'attend, je ne suis pas seule.

– À plus tard !

– Sois prudente, Becky, et dis bonjour au père de Léa pour moi, lance maman de la cuisine. Demande-lui s'il aime son nouveau travail.

– D'accord, promis.

Ces deux petits mots mensongers sont sortis de ma bouche sans difficulté. Mais ils me laissent un arrière-goût désagréable. Tant pis, c'est fait. Je prends mon sac et je referme la porte derrière moi.

Sam m'attend au bout de la rue. Je m'accroche un grand sourire au visage, comme pour me donner bonne conscience. La semaine qui vient de se terminer a été vraiment très éprouvante à l'école. L'idée de revoir Sam est la seule chose qui m'a aidée à passer au travers.

– Salut, Becky !

– Salut, Sam.

– Alors, tu as eu la permission de sortir ? demande-t-il avec un sourire entendu.

Je hoche la tête.

– Qu'as-tu envie de faire ? demande-t-il.

– Veux-tu retourner au parc ?

C'est drôle, je me sens fébrile comme si quelqu'un ou quelque chose me poussait à aller là-bas.

– C'est mon endroit préféré, répond Sam avec enthousiasme. On peut sûrement prendre un autobus à partir d'ici, ou prendre le métro.

– On devrait plutôt marcher.

Prendre un autobus, ou un métro bondé, serait mon pire cauchemar.

Ça me fait du bien de me promener avec Sam. Je commence enfin à me détendre, à ses côtés. Je me surprends même à rire une fois ou deux.

– As-tu faim ? me demande-t-il en arrivant au parc.

L'après-midi est déjà bien entamé ; mon petit-déjeuner est un lointain souvenir.

– Je suis affamée.

À la cantine mobile, on achète un gros sac de frites à se partager et des boissons gazeuses. Je prends la bouteille de ketchup et, juste au moment où j'allais en répandre une giclée sur notre plat, je m'arrête net.

– Oups ! Désolée, j'avais oublié que tu détestes la sauce tomate.

Sam me fixe d'un air ahuri.

– Comment le sais-tu ?

J'ai un petit rire nerveux aux lèvres, mais à l'intérieur de moi, c'est la panique. En effet, comment se fait-il que je *sache* ça ?

– Euh... Aucune idée... Je veux dire, euh... C'est évident. tu as l'air d'un gars qui n'aime pas le ketchup.

– Tu as raison.

Il sourit et me regarde d'un air inquiet.

– Dis-moi, madame la voyante, que connais-tu d'autre sur moi ?

Je hausse les épaules en poussant un ricanement forcé, et je prends une grosse bouchée de frites. À l'école, tout le monde me pense folle. Il n'est pas question que je laisse Sam tirer la même conclusion.

– Pas grand-chose. Je n'ai pas plus d'intuition qu'une patate.

On se rend au kiosque à musique. On s'assoit ensemble sur les marches de bois peintes, et on finit notre pique-nique en regardant le lac. Le soleil chaud du printemps caresse nos visages.

Je sors la dernière frite du sac.

– Que dirais-tu si on gardait celle-ci pour attirer ce vieux monstre et le faire monter à la surface ?

Je me tourne vers Sam et je vois qu'il est perdu dans ses pensées.

– Sam ?

Il me sourit, mais je perçois de la tristesse dans ses yeux.

– Qu'est-ce qui ne va pas ?

Il hausse les épaules.

– Rien.

– Veux-tu qu'on s'en aille ?

– Non.

– Qu'est-ce qui te rend triste comme ça ?

– Je pensais à quelqu'un que j'aimais beaucoup.

Son regard s'assombrit. Il se passe les mains dans les cheveux, qu'il repousse de son front, puis soupire.

– Qui ?

– Tu ne le connais pas.

Un frisson me parcourt tout le corps.

– Dis-moi, je t'en prie.

Il hésite un instant.

– Mon meilleur ami, Colin, est mort il y a quelques mois.

– Oh, je suis vraiment désolée.

– Ouais, moi aussi. C'est avec lui que j'étais venu essayer de voir ce poisson.

Rempli d'émotion, il fait une pause.

– Parfois... Je devrais dire la plupart du temps, j'ai l'impression que je vais retrouver Colin ici, à m'attendre, comme s'il était juste parti en vacances et qu'il allait revenir.

Je ne sais pas quoi dire. Je pose ma main délicatement sur son épaule.

– Il avait juste quinze ans. Personne ne devrait mourir à cet âge-là. Ça devrait être interdit par la loi.

Je vois dans son regard la même colère qu'il avait dans mes songes.

Soudain, je comprends tout, comme si je venais d'être traversée d'un éclair de lucidité. Je sais maintenant que, si je suis encore en vie aujourd'hui, c'est parce que l'ami de Sam est décédé. Le cœur de Colin bat dans ma poitrine.

Je frissonne à l'idée que mes visions sont probablement les souvenirs de Colin qui resurgissent. Je m'efforce de me rappeler que j'ai son cœur, et non son cerveau. Pas besoin d'être un génie de la biologie pour savoir que les souvenirs sont gravés dans la tête, et non dans le cœur.

Pourtant, ce serait logique, d'une certaine manière. J'ai vu en songe ce parc et le meilleur ami de Colin, Sam, bien avant de rencontrer celui-ci en personne.

Je comprends que toutes les personnes et tous les autres lieux qui me sont apparus ont probablement aussi un lien avec Colin. Je repense à mon envie d'arrêter de manger de la viande, ou de repeindre ma chambre. D'où ces idées me sont-elles venues ? De lui ?

De quelle autre manière le cœur de Colin m'affecte-t-il ? Suis-je en train de changer, de devenir quelqu'un d'autre ? J'ai peur juste à y penser. Les paroles de Shannon, qui a dit que mon donneur était peut-être une mauvaise personne, me troublent encore. Je tâche de chasser rapidement cette idée de mon esprit. Colin était le meilleur ami de Sam ; il devait donc être quelqu'un de bien. Pas vrai ?

Pendant que Sam me raccompagne chez moi à pied, je ne peux pas arrêter de penser à Colin. Comment était-il ? Une foule de réflexions et de peurs contradictoires se bousculent dans ma tête. Il y a tellement de choses que je veux connaître sur lui, mais je n'ose pas poser plus de questions à Sam, de crainte de l'attrister en ressassant trop de souvenirs.

Arrivés au bout de ma rue, on s'entend pour se revoir et on se salue. En s'éloignant, Sam me dit qu'il va me texter. Je me dépêche de rentrer. Une fois devant la maison, je jette un coup d'œil à ma montre, et je soupire de soulagement. Je suis en avance de cinq minutes.

Maman est dans la cuisine et lit un magazine.

– Alors, Rick aime-t-il son nouvel emploi ?

Je la fixe d'un regard vide.

– Rick... Le père de Léa. Comment va-t-il ?

– Oh, euh... Il va bien.

– C'est tout ce qu'il a dit ?

– Oui...

– Eh bien, je suppose que le petit frère de Léa doit se faire garder chez sa tante plus souvent, maintenant.

– Euh... Ouais, j'imagine.

Maman secoue la tête et pousse un petit soupir.

– C'est un long trajet en métro. Ça ne doit pas être facile pour eux.

J'esquisse un sourire forcé, puis je marmonne une excuse en prétendant vouloir monter à ma chambre pour finir mes devoirs.

– Tes devoirs ? Ça alors... Tu devrais aller chez Léa plus souvent, rigole maman.

Quand j'enlève mon polo noir pour enfiler un t-shirt, mes yeux se posent sur la longue cicatrice rouge qui sillonne ma poitrine. À mesure qu'elle guérit, elle me cause de furieuses démangeaisons et il faut que je résiste à l'envie de la gratter. Comme c'est le début du printemps, il commence à faire plus chaud. Je ne pourrai pas porter des vêtements à col haut encore très longtemps, et surtout pas cet été. Mais j'ai horreur de penser que les gens pourraient voir cette marque hideuse.

Je me demande sans arrêt si je devrais parler à Sam de ma greffe. De toute évidence, il ne s'est pas encore remis de la mort de Colin. Comment réagirait-il si je lui disais que le cœur de son meilleur ami bat dans mon corps ? Je ferme les yeux et j'essaie de me changer les idées.

Je sors de ma chambre pour m'installer à l'ordinateur, sur le palier. Je me souviens qu'Audrey, la fille que j'ai rencontrée à l'hôpital, a dit qu'elle n'avait jamais entendu parler d'expériences semblables à la mienne, c'est-à-dire de greffés qui ont des visions. Je décide donc de vérifier quelques sites Internet sur le sujet, mais je ne trouve rien.

Je consulte ma page Facebook, espérant en secret que Léa soit en ligne ou m'ait envoyé un message. Même si elle m'a vraiment déçue et fâchée, nous sommes amies depuis tant d'années qu'elle me manque.

Je suis surprise et blessée de constater que des tas de personnes se sont retirées de ma liste d'amis. J'aurais dû savoir que ça se produirait. Il faut que j'apprenne à m'endurcir.

Je n'ai reçu qu'un seul message. Le titre, *Hé ! Regarde ça !*, pique ma curiosité. Je clique dessus sans réfléchir, puis je trouve un lien intitulé *Becki-la-Cousue n'est pas bien dans sa tête*.

Pendant environ deux minutes, je reste paralysée par le choc. Je fixe l'écran sans saisir le sens des mots que je viens de lire. Puis, peu à peu, je prends conscience de leur portée.

Mon instinct me dit que je ne devrais pas cliquer sur ce lien ; voir la suite ne m'apportera rien. Je risque d'être encore plus ébranlée, ce serait une grave erreur. Mais je suis comme hypnotisée. Je place le curseur, puis j'appuie sur le bouton de la souris. Ouf, j'ai chaud et j'ai mal au ventre. Il y a un tas de commentaires affichés. La plupart des messages les plus cruels ont été publiés par la même personne : Shannon.

Je poursuis ma lecture. Je suis presque rendue à la moitié de la page quand un bruit derrière moi me fait sursauter. C'est Danny.

– Veux-tu jouer avec moi à un nouveau jeu sur l'ordi ?

– Va-t'en, Danny.

– C'est vraiment l'fun ! Il y a des girafes.

– Non, j'ai dit ! Allez, ouste !

Son petit visage devient triste et je me sens méchante. Rien de ce qui m'arrive n'est sa faute.

– Excuse-moi, Danny.

– Qu'est-ce que tu as ?

– Rien. Je vais bien.

Je me demande si je devrais en parler à maman ou à quelqu'un. Puis, je rejette aussitôt cette idée. Je ferme ma page et ma session à toute vitesse. Je me lève et offre la place à Danny.

– Tiens, tu peux utiliser l'ordinateur, maintenant.

Heureusement, j'ai rendez-vous chez le médecin aujourd'hui pour mon suivi hebdomadaire. Je n'irai donc pas à l'école. Je redoute maintenant d'y retourner, et même de m'en approcher.

Mes visites à l'hôpital sont devenues vraiment routinières pour moi. Je ne bronche même plus si on me dit qu'on va me faire des tonnes de prises de sang ou une biopsie, c'est-à-dire prendre un minuscule morceau de mon cœur au moyen d'un tube microscopique pour l'examiner. Ça semble dégueulasse, mais ça ne fait pas mal et c'est la meilleure façon de vérifier si mon corps rejette ou accepte ce nouvel organe.

Si ces interventions médicales ne me dérangent plus, c'est peut-être parce que j'en ai subi un si grand nombre que je m'y suis habituée. Ou bien c'est peut-être parce qu'elles me permettent d'oublier ce qui m'arrive à l'école. Ici, contrairement à là-bas, tout le monde est content de me voir et m'accueille chaleureusement.

Je croise Audrey dans le couloir. Je suis surprise de la revoir. Quel hasard.

– Que fais-tu ici ?

– Oh ! Tu sais, on m'aime tellement qu'un rendez-vous par année n'était pas assez, blague-t-elle.

– Est-ce que tout va bien ?

– Oui, bien sûr ! Sauf que je rate ma leçon d'équitation ; je suis vraiment déçue.

– Alors, pourquoi es-tu venue ?

– Les résultats de mes derniers examens n'étaient pas clairs. On m'a dit que c'était probablement juste une petite erreur technique, mais je dois repasser tous les tests.

Elle grimace.

– Oh, ce n'est pas cool.

– Ne t'en fais pas. Je serai sortie d'ici dans une heure, tout au plus. Ensuite, je file directement à l'écurie. Et toi, comment vas-tu ?

– Super bien.

Je m'oblige à sourire. Mais elle n'est pas dupe ; elle devine que je mens.

– Tu en es sûre ?

Je hausse les épaules. Je n'ai pas envie de décharger tous mes ennuis sur elle. Par chance, Lyne, une des infirmières, se pointe au bout du couloir.

– Audrey, c'est à ton tour ! Dépêchons-nous ! Il paraît que tu avais d'autres choses à faire aujourd'hui, et des chevaux à aller voir !

– J'arrive ! J'arrive ! Préparez votre aiguille la plus pointue !

Elle se tourne vers moi en souriant. Puis, ses yeux verts s'assombrissent pendant un bref instant. Elle prend un morceau de papier et un crayon et gribouille quelque chose.

– Je m'excuse, je dois y aller. Tiens, je te laisse mon numéro de cellulaire. Envoie-moi un texto ou appelle-moi si tu as envie de parler.

– Merci, je le ferai.

– Et viens faire de l'équitation avec moi, un de ces jours ! On aura du plaisir !

Audrey suit Lyne et passe les portes de la salle d'examen. Je retourne au bureau du docteur Sampson. Maman est avec lui et attend. Ils me disent que tout va bien. Si bien que mes visites de suivi peuvent maintenant être espacées. Désormais, je viendrai une seule fois par mois. Je pensais que maman serait super contente de l'apprendre. Mais, pour une raison que j'ignore, elle reste silencieuse pendant tout le trajet vers la maison. Quelque chose l'inquiète.

– Joe a parlé à Rick, hier soir, dit-elle enfin en arrivant chez nous. Il n'a pas décroché l'emploi qu'il souhaitait.

Je sens mes joues s'enflammer. Joe sort de la cuisine et me regarde avec un air désappointé. Je ne peux pas croire que maman a attendu qu'il soit là avant de me faire face. Ça me fâche.

– Tu n'es pas allée chez Léa hier, n'est-ce pas ? poursuit-elle.

– Becky, pourquoi nous as-tu menti ? demande Joe d'un ton ferme.

– Je ne sais pas...

– Où étais-tu ? insiste-t-il.

Je lui fais des gros yeux.

– Ce n'est pas de tes affaires ! Tu n'es pas mon père ! Je n'ai pas à te raconter quoi que ce soit !

– Becky, dit maman d'un ton calme. On veut savoir où tu étais.

– Nulle part... J'étais juste sortie, c'est tout. J'ai quatorze ans ! As-tu toujours besoin de savoir exactement où je me trouve à chaque instant ?

– Oui. Tu as été très malade, Becky.

– Mais je vais bien, maintenant, non ? Le docteur vient de confirmer qu'il n'a pas à me revoir avant un mois. Il n'aurait pas dit ça s'il pensait que j'étais encore malade.

– Becky, tu n'es pas comme les autres filles de ton âge, affirme Joe.

– Oui, je le suis ! De quel droit oses-tu me dire ça ? Et je ne veux pas me faire couver et dorloter tout le temps comme si j'étais sur le point de mourir !

Je suis furieuse. Je grimpe l'escalier à toute vitesse. Maman me rappelle.

– Becky !

– Laisse-la faire, lance Joe.

Je claque la porte, je me jette sur mon lit, et je pleure comme une enfant de cinq ans.

Je passe toute la soirée enfermée dans ma chambre. Vers vingt-deux heures, maman vient me voir et s'assoit sur le bord de mon lit. Pendant quelques secondes, elle me caresse les cheveux sans prononcer un mot.

– Je m'excuse, maman.

Elle me prend dans ses bras et me serre très fort.

– On ne veut pas t'empêcher de sortir, ma chérie, ni te garder dans la ouate. Ce ne serait pas bon pour toi.

– Je n'étais pas toute seule. On a simplement passé la journée au parc.

– « On » ?

– Sam et moi.

Elle réfléchit un instant, puis hoche la tête.

– Sam ? Le garçon qui est venu ici l'autre jour ?

– Il est vraiment gentil, maman. Je peux te le présenter. Tu vas l'aimer.

– J'en suis sûre, ma belle. Je voudrais tellement que tu essaies d'aimer Joe.

Je lui fais un gros câlin, mais je ne réponds rien.

Mon réveille-matin sonne. Il est sept heures. Il pleut fort dehors ; je suis tentée de m'enfoncer encore plus loin sous mes couvertures et de rester au lit toute la journée. Mais je sais que ça ne réglerait rien. Ça ne servirait qu'à remettre les choses à plus tard. J'angoisse à l'idée de revoir Shannon et tout le monde à l'école. Ai-je le choix ? Non. Maman ne me laissera pas rater de cours sans avoir une bonne raison, et je ne vais pas lui faire croire que je suis malade. Il faut que je sois forte, et que j'apprenne à ne pas me laisser atteindre par la méchanceté de Shannon. Je respire profondément, puis je me lève.

Dans la cuisine, je me fais des rôties, mais je n'ai pas tellement faim. Danny les engloutit pendant que je prépare mon lunch. Je jette un œil à l'horloge toutes les deux minutes ; j'aimerais repousser le moment où je devrai partir. Joe apparaît dans l'embrasure de la porte. Je baisse les yeux pour éviter son regard.

– Je m'en vais au travail. Passe une belle une journée.

– Merci.

Le moment que j'appréhende le plus est celui où tout mon groupe sera rassemblé pour la prise des présences, avant que nous nous dispersions pour le premier cours. En arrivant à l'école, je me dépêche de traverser la cour en enjambant les flaques d'eau et je me faufile à l'intérieur avant que la cloche ne sonne. Quand les autres entrent à la file, je suis déjà installée à ma place habituelle, à l'arrière de la classe. Je range mon sac à lunch dans mon pupitre, et je sors un cahier que je m'applique à noircir de barbouillis pour ne pas trop penser à tous les yeux qui sont braqués sur moi. Le simple fait de tracer le long cou sinueux d'un cygne, son corps et ses ailes me tranquillise. Je m'y suis exercée si souvent que mes dessins sont rendus plutôt beaux. Je repense à Colin et je me demande quel lien ces oiseaux peuvent avoir avec lui.

Bien assise, la tête baissée comme si j'étais prête à me faire ruer de coups, je m'attends à ce que Shannon commence à se moquer de moi d'une minute à l'autre. Mais il ne se passe rien. Perplexe, je suis curieuse de savoir pourquoi. Je prends le risque de lever la tête pour promener mon regard autour de la salle, et je finis par comprendre que Shannon n'est pas là. Par contre, tous les autres sont arrivés. Martin est debout sur un bureau et recrée une scène du jeu *Death Tomb Aliens 4*, niveau cinq, au grand plaisir de William et de Damien. Léa, Alicia et Julie sont réunies en conciliabule pour parler du party de Léa, qui aura lieu dans quelques semaines. Et monsieur MacNamara entre en trombe et dépose bruyamment sa vieille serviette en cuir sur son bureau.

– Bonjour ! À vos places, s'il vous plaît. Otis, je te donne trois secondes, pas plus, pour descendre de ce pupitre et t'asseoir sur ta chaise...

Martin pousse un grognement à faire glacer le sang en imitant une autre scène de *Death Tomb Aliens*, et s'élance dans les airs avant d'atterrir au sol dans un grand geste théâtral. Monsieur McNamara l'ignore ostensiblement.

Peu à peu, l'agitation se calme, et on commence à confirmer nos présences. Quand monsieur MacNamara inscrit que Shannon est absente, je soupire de soulagement. Dehors, la pluie s'est arrêtée, et des rayons de soleil entrent par la fenêtre et éclairent toute la pièce. Je ne peux m'empêcher de sourire et de croire que mes prières ont été entendues.

Juste au moment où monsieur MacNamara annonce que nous devons nous rendre à notre premier cours, Shannon se faufile dans la classe.

– Vous êtes en retard, mademoiselle Wilson !

Elle se moque de son commentaire et le dévisage avec mépris. Son attitude me met mal à l'aise. Je me dépêche de me rendre au cours d'éducation physique en sachant que je passerai la prochaine heure en paix, toute seule à la bibliothèque. Du moins, c'est ce que je crois...

Madame Baudelaire est absente aujourd'hui. Une remplaçante, mademoiselle Stuart, nous attend dans le vestiaire. Je l'informe poliment de mon exemption.

– Habituellement, madame Baudelaire m'envoie travailler à la bibliothèque.

– T'as un billet du médecin ?

Elle me demande ça sur un ton cassant, sans prendre la peine de me regarder.

– Euh... Non, je n'en ai pas.

– Pas de billet, pas de passe-droit.

J'entends quelques filles étouffer des fous rires. Du coin de l'œil, je vois Shannon entrer discrètement dans le vestiaire. Elle pousse en bas du banc les affaires de quelqu'un d'autre et accroche son sac au-dessus du radiateur.

– Dépêchez-vous de vous changer, ordonne mademoiselle Stuart. Si quelqu'un est en retard, il devra reprendre ce temps après les classes.

Puis, elle se tourne face au groupe et, d'un seul regard pénétrant, impose immédiatement le silence.

Je n'ai pas le choix. Je sors mon ensemble d'éducation physique de mon casier, puis je m'en vais dans le coin le plus reculé du vestiaire, aussi loin que possible de Shannon. Je me retourne pour que personne ne puisse voir ma cicatrice pendant que j'ôte le chemisier de mon uniforme. J'enfile le plus vite possible le haut de mon ensemble immaculé, et je le boutonne jusqu'au cou. Je mets ensuite ma jupette portefeuille et mes souliers de course.

Mademoiselle Stuart nous distribue des dossards rouges et bleus.

– Tu peux jouer au centre, me dit-elle en m'en remettant un rouge.

– Euh, excusez-moi : ça veut dire « attaque » ou « défense » ?

Les filles rient encore plus dans mon dos. Mademoiselle Stuart me dévisage d'une manière intimidante, le visage à demi figé par la colère ou l'incrédulité.

– Ni l'un ni l'autre, précise-t-elle. On joue au hockey sur gazon.

Visiblement dégoûtée par mon ignorance totale, elle me jette un regard horrifié et continue à remettre des dossards.

Il faut dire que, pendant que les autres apprenaient à jouer au hockey durant les dernières semaines, j'étais à la bibliothèque. Je sais que ça se joue avec un bâton et une balle, mais les règles sont un mystère pour moi.

Une pluie fine tombe dehors ; tout le monde attend jusqu'à la dernière minute dans le vestiaire où passent des courants d'air. Même les filles les plus sportives semblent réticentes à l'idée de sortir. Léa se tient à l'arrière de la pièce avec Julie et elle évite de tourner les yeux vers moi.

– Allez-y ! On n'a pas toute la journée ! lance mademoiselle Stuart.

Elle traverse le vestiaire d'un pas de soldat. Les filles la suivent en se traînant les pieds et saisissent toutes un bâton de hockey et une des paires de jambières empilées à côté de la porte. Je remarque que la plupart d'entre elles se sont mis un protecteur dans la bouche. J'appuie ma langue sur mes dents du haut pour les couvrir. J'essaie de ne pas penser à l'allure que j'aurais sans elles.

– Pousse-toi de mon chemin, Miss Frankenstein, grommelle Shannon.

Elle prend un dossard bleu et me bouscule légèrement sur son passage.

– Hé, ne m'appelle pas comme ça.

Ces mots sont sortis de ma bouche malgré moi. Je reste plantée sur place, et j'essaie de ne pas montrer ma peur.

Shannon s'arrête devant la porte et me regarde de haut en bas à travers ses longs cils lourds de mascara.

– Et pourquoi pas ? demande-t-elle avec un petit sourire malin.

Une étincelle de colère jaillit soudain en moi et provoque ma réaction explosive.

– Parce que mon nom, c'est Becky. Et, pendant qu'on y est, Becky s'écrit avec un Y, pas avec un I. Compris ?

Le visage de Shannon trahit sa surprise pendant une seconde, puis reprend son air moqueur habituel.

– Pfft... Peu importe, Miss Frankenstein ...

Lentement, elle se tourne, prend un bâton et des jambières et va rejoindre Sophie Morgan en se pavanant. Léa me lance un regard inquiet. Mais, dès que mes yeux croisent les siens, elle fait semblant de ne pas me voir.

Je bous intérieurement, et je sors en silence derrière les autres. Aussitôt que je mets le pied sur le terrain, mademoiselle Stuart me dirige à côté de Shannon. On va jouer l'une contre l'autre ; quelle horreur. Je regarde le bâton que je tiens avec maladresse, en me demandant comment l'utiliser. Soudain, mon cœur s'emballe et mes doigts se placent tout naturellement dessus, comme s'il avait été moulé sur mesure pour épouser la forme de ma main.

Mademoiselle Stuart donne un coup de sifflet et la partie commence. Étrangement, je sais exactement quoi faire. C'est comme si j'avais joué au hockey sur gazon toutes les semaines depuis au moins cinq ans. Je pousse la balle comme une championne avant de la frapper en direction d'une coéquipière à dossard rouge. Mademoiselle Stuart me contemple d'un air ébahi ; elle semble se demander pourquoi une élève aussi douée pour ce sport a d'abord tenté de se faire exempter du cours.

– Hé, toi ! Reste près de ton adversaire ! crie-t-elle à Shannon.

Celle-ci me jette un coup d'œil furieux depuis l'autre côté du terrain. Elle profite ensuite de chaque occasion qui se présente pour mettre son bâton dans mes jambes sans que mademoiselle Stuart la voie.

Pour l'éviter, je m'élance vers le cercle de tir où Léa et une autre attaquante de notre équipe s'échangent des passes.

Tout à coup, Sophie Morgan monte à l'assaut en accourant vers moi. Elle pose son bâton, prête à recevoir la balle, et fait signe à Léa de la lui envoyer.

– Ici ! Lance-la-moi !

Léa hésite ; elle balance son regard entre Sophie et moi. Soudain, elle se décide et frappe dans ma direction, à mon grand étonnement. J'attrape la balle et je la passe en courant devant les deux joueuses de l'équipe adverse qui se trouvent dans la zone de défense. Je me place au centre, puis je glisse mon bâton et donne un coup du poignet qui envoie la balle droit dans le filet. Le bruit sourd et très satisfaisant qu'elle provoque en heurtant le panneau du fond confirme le but que je viens de marquer. Les filles aux dossards rouges poussent quelques cris de victoire, tandis que Shannon m'adresse un de ses airs diaboliques. Je croise Léa et, cette fois-ci, elle ne détourne pas les yeux. Elle me fait plutôt un sourire discret.

– Bravo. Très beau but.

– Merci.

Une joie immense me transporte. Mais je me rappelle tout à coup que je ne suis pas née avec une aptitude particulière pour le hockey sur gazon. Le but que j'ai compté n'était pourtant pas un coup de hasard ; je l'ai réussi en toute conscience. Un frisson glacial me traverse, même si j'ai chaud d'avoir tant couru : je viens de comprendre que mon nouveau talent n'a rien à voir avec moi. C'est un don de Colin.

J'essaie de trouver un sens à ce qui s'est produit ce matin sur le terrain de hockey. Des idées contradictoires à propos de Colin me traversent l'esprit. Je suis incapable de me concentrer sur mes cours, et je me fais avertir deux fois parce que je suis dans la lune. Deux fois ! La cloche sonne enfin l'heure du lunch. Je m'empresse de retourner dans ma salle de classe. Sophie et Shannon sont là ; dos à la porte, elles semblent plongées dans une grande conversation. Je décide d'aller manger ailleurs. Je me glisse le plus discrètement possible jusqu'à mon pupitre, soulève le dessus et prends mon sac à lunch. Dans ma hâte, le couvercle du meuble me glisse des doigts et se referme avec fracas. Sophie et Shannon se retournent immédiatement et m'écrasent d'un regard plein de mépris. Puis, Sophie envoie un sourire complice à Shannon.

– Bon appétit, me dit-elle.

Je m'en vais aussitôt pour éviter d'entendre un autre mot de leur part. Je sors dans la cour et je m'assois le plus loin possible, sur un banc installé sous le grand chêne. Je me nettoie soigneusement les doigts avec une lingette, puis j'ouvre mon sac à lunch et y plonge la main. Mais au lieu d'y trouver mon sandwich au beurre d'arachides, j'ai la mauvaise surprise de toucher à truc chaud, gluant et... vivant. Je lance le sac dans l'herbe tout en reculant d'un pas et en hurlant de terreur. Je fixe avec dégoût ma main recouverte de terre et de bactéries.

Une petite masse brune sort de mon sac à lunch. La chose se dirige lentement vers le banc.

C'est un horrible crapaud, poisseux et dégueulasse, à la peau couverte de verrues. Et il était dans *mon* sac. Je tremble de tous mes membres. Mon estomac fait des soubresauts et j'ai soudain envie de vomir. Mais je lutte contre le goût acide qui me monte dans la gorge quand je devine qui m'a joué ce sale tour.

Cette fois-ci, Shannon est allée trop loin. Elle a dépassé les limites de ma patience et elle ne s'en sortira pas comme ça.

Furieuse, je me dirige vers ma salle de classe d'un pas déterminé. Je sais que je devrais l'ignorer. Et qu'il ne faut surtout pas lui donner le plaisir de me voir si fâchée ; elle se félicitera d'avoir réussi son coup.

Malgré cela, je ne peux pas contenir ma colère. Je fulmine. Je peux bien supporter ses moqueries agaçantes, ses commentaires méchants affichés en ligne, mais ça... C'est bien pire, et elle le sait. Je vais dire ma façon de penser à Shannon Wilson une fois pour toutes.

J'ouvre la porte de la classe et je la vois, assise avec Sophie, derrière Léa et Julie. Je fonce vers elle.

– Je suppose que tu trouves ça drôle ?

Je lui lance mon sac à lunch. Il tombe à ses pieds. Un sandwich couvert de saleté roule par terre. Elle le regarde avec curiosité.

– Ben, ça ne l'est pas. Tu comprends ? Ce n'est pas drôle du tout !

– Qu'est-ce qui te prend de crier comme ça, Miss Frankenstein ?

– Je t'ai dit de ne pas m'appeler comme ça !

Elle s'appuie contre le dossier de sa chaise, lève les yeux vers moi et fait un sourire hypocrite.

– Oh... Je suis tellement désolée de t'avoir vexée, Miss Frankenstein, minaude-t-elle d'un ton faussement mielleux.

– Ça suffit, Shannon ! crie Léa.

Mais c'est trop tard. J'ai atteint le point de non-retour. Je viens de perdre les pédales. La petite étincelle de colère que j'ai sentie s'allumer tout à l'heure se transforme maintenant en brasier ardent. Ma fureur est si grande que je ne sais plus ce que je fais. Et, pour tout dire, je m'en contrefiche. Je bondis vers Shannon et la pousse de toutes mes forces. Sa chaise tombe à la renverse et mon ennemie atterrit sur le plancher de bois franc. On entend un gros craquement...

Pendant une seconde, Shannon reste immobile. Elle est en état de choc et me fixe. Je recule d'un pas, mes yeux plantés dans les siens. Puis, la voix de Léa parvient à mes oreilles.

– Oh, Becky, qu'as-tu fait ?

Shannon gémit. Elle ne fait aucun effort pour se relever. Léa accourt auprès d'elle. Lorsqu'elle lui prend la main, Shannon se met à hurler de douleur. Au même moment, Damien apparaît dans l'embrasure de la porte.

– Hé, qu'est-ce qui se passe ?

– Shannon est blessée, lui dit Léa. Vite, va chercher de l'aide.

Damien s'élance aussitôt dans le couloir. William arrive sur ces entrefaites. Il examine Shannon, qui gît sur le plancher.

– Ouache, c'est dégueulasse...

Il se couvre la bouche avec sa manche et scrute le bras gauche de Shannon. Celui-ci est plié de manière anormale, et l'os cassé sort de la peau.

La lourde porte en bois du bureau de monsieur Patterson s'ouvre, et madame Andrews sort.

– Tu peux entrer, maintenant, dit-elle.

Je suis allée voir le directeur une seule fois dans le passé. C'était en première année du secondaire. J'avais gagné une course importante en un temps record, et il tenait à me féliciter en personne avant d'annoncer ma victoire à toute l'école le lendemain.

Je pénètre dans la pièce. Monsieur Patterson, installé à son grand bureau, est occupé à écrire quelque chose sur une feuille de papier posée devant lui. Maman est là, assise inconfortablement sur le bout d'une chaise, le visage crispé et pâle de rage, les sourcils froncés. Elle ose à peine me regarder. Je reste plantée devant eux, les pieds calés dans l'épais tapis à motifs. Monsieur Patterson m'accorde enfin son attention en me fixant d'un air grave.

– Eh bien, Becky ?

Je me balance d'un pied à l'autre, en observant maman du coin de l'œil de temps en temps. Mais elle refuse de se tourner vers moi.

– Qu'as-tu à dire pour expliquer ton geste ? demande le directeur.

Je garde la tête baissée. J'ai tellement honte. C'est la première fois de ma vie que je blesse quelqu'un par exprès.

– Je suis vraiment navrée de ce qui s'est passé, monsieur. Je ne sais pas ce qui m'a pris. Je me suis emportée.

– Oui, de toute évidence. Ton excès de colère a valu à Shannon Wilson un poignet cassé.

Il respire profondément.

– Becky, je sais que tu as vécu beaucoup de stress ces dernières années à cause de ta maladie et de ta greffe. C'est uniquement pour cette raison que tu ne seras pas suspendue de l'école.

J'entends maman pousser un grand soupir de soulagement.

– Cet incident me semble un cas isolé. Je sais que ce n'est pas dans tes habitudes d'agir comme ça. Toutefois, j'ai parlé à certains de tes professeurs, et ils m'ont tous dit avoir constaté que ton comportement avait changé depuis que tu es revenue en classe.

Je frétille comme un diable dans l'eau bénite.

– Par exemple, monsieur MacNamara t'a vue rôder à plusieurs reprises près des cases, alors que tu aurais dû être à l'assemblée des élèves. Pour sa part, mademoiselle Dupont rapporte que tu as refusé de participer à un bon nombre d'exercices d'art dramatique durant ses cours. Et il paraît que tu as pris part à un seul cours d'éducation physique depuis ton retour à l'école.

– Eh ben, je n'aimais pas... Euh, je ne voulais pas être...

Ma voix s'estompe.

– Becky, tu as traversé une période très difficile et traumatisante. Heureusement, tu es en train de remonter cette pente. Cependant, je veux que tu comprennes qu'au cours des dernières semaines, tu t'es montrée de plus en plus rebelle et désobéissante. On dirait que tu n'es plus la même. Tu es en train de devenir un mauvais modèle dans cette école. Comment expliques-tu cela ?

En attendant ma réponse, monsieur Patterson et maman m'accusent des yeux. Mais comment expliquer ce qui m'arrive ? Devrais-je leur dire la vérité toute crue : que je pense être hantée par les souvenirs de mon donneur, et c'est ce qui expliquerait mon changement d'attitude ? Puis-je leur avouer ma peur la plus profonde : devenir cette autre personne qui m'a donné son cœur ?

Je ne sais pas quoi dire. Je m'emmure dans le silence.

Maman et moi sortons du bureau de monsieur Patterson. On marche en silence dans le couloir.

– Becky, dis-moi... Qu'est-ce qui t'arrive ?

Je baisse la tête.

– Rien, maman. Tout va bien.

Elle hésite pendant quelques secondes, puis se dépêche de passer la porte d'entrée en me jetant un dernier regard inquiet.

Maintenant que maman est repartie, je n'ai pas le choix de retourner en classe.

Je prends une grande respiration, puis je passe la porte du laboratoire de science de madame Williams.

– Entre, Becky. Tu es très en retard.

– Je m'en excuse.

– Où étais-tu passée ?

D'après le malaise général qui plane dans la salle, je devine que madame Williams est la seule personne ici qui n'est pas au courant de ce qui s'est produit à l'heure du lunch.

– Alors, Becky ?

– Euh... J'étais au bureau de monsieur Patterson, madame.

– Ah bon, je vois. L'important, c'est que tu es arrivée. Dépêche-toi d'aller t'asseoir.

Il ne reste qu'une seule place libre : entre Léa et Sophie Morgan. Je fais semblant d'ignorer tous les regards hostiles braqués sur moi. Je me laisse tomber sur la chaise, en espérant tout bas que le plancher s'ouvre et m'aspire. Sophie Morgan pousse immédiatement sa chaise un peu plus loin. J'interprète son geste comme une forme de protestation silencieuse. Quant à Léa, elle ne bronche pas.

– Je suis vraiment navrée, Léa. Je ne sais pas ce qui m'a pris.

– Ce n'est pas à moi que tu dois présenter des excuses.

– Shannon m'avait vraiment rendue...

– Shannon n'avait rien à voir là-dedans.

– Qu'est-ce que tu veux dire ?

– C'est Martin qui t'a fait ce mauvais coup.

– Martin ?

– Shannon n'en avait pas la moindre idée. Elle en a déjà bien assez sur les bras. Elle s'est fait placer dans un autre foyer d'accueil hier soir. Le troisième cette année.

– Ce que tu as fait était complètement déplacé, conclut Sophie sur un ton tranchant.

Léa lève la main.

– Oui, Léa ? demande madame Williams.

– Est-ce que je peux changer de place, s'il vous plaît ? Je ne peux pas travailler ici.

Elle pousse sa chaise à l'autre bout de la classe.

Il ne reste que quelques jours avant la mi-session. Shannon est absente pour tout le reste de la semaine. Il n'y a aucune assemblée prévue et, comme il fait beau, je peux manger dehors, tranquille et à l'abri des soucis. Je demeure discrète et reste à l'écart des autres. De toute manière, tout le monde se tient loin de moi, incluant Léa. Ils ont tous vu ce qui était arrivé à Shannon. Personne ne voudrait maintenant prendre le risque de faire face à la freak. J'ai donc tout le loisir de me concentrer sur mes études. Alors, vendredi, quand maman fait un suivi auprès de monsieur MacNamara, il n'a que de bons mots à dire à mon sujet.

– Je vois que tu as travaillé extrêmement fort. Tous tes professeurs sont très fiers de tes progrès.

L'air soulagé, elle sourit en me servant du thé.

– Les choses semblent revenir à la normale, ajoute Joe.

Si seulement il savait les phénomènes étranges que je vis.

– Dans ce cas, est-ce que je peux aller me promener avec Sam, demain ?

On s'est envoyé des textos toute la semaine, tous les deux. Maman consulte Joe du regard. Il hausse les épaules.

Je m'efforce de cacher à quel point ça m'irrite que ce soit lui qui décide.

– OK, confirme maman.

– Dis-lui de passer te chercher ici. J'en profiterai pour le questionner et connaître ses intentions.

Maman comprend à quel point ce genre de commentaire m'agace et elle prend ma défense.

– Joe !

– Je blaguais, voyons.

– Hé ! C'est juste un ami !

– Hum, si tu le dis. Dans ce cas, tu n'auras pas besoin d'occuper la salle de bain tout l'avant-midi pour te préparer...

– Maman ! Dis-lui d'arrêter !

– Joe, laisse-la tranquille.

Samedi, maman et lui se comportent le plus gentiment du monde et évitent de me faire honte. Au lieu d'interroger Sam sur ses « intentions » ou sur tout autre sujet bidon, Joe passe dix bonnes minutes à parler avec lui des hauts et des bas du dernier match de soccer qu'a joué l'équipe Manchester United. Je commence à penser que je ne réussirai jamais à faire sortir Sam d'ici. Heureusement, maman intervient.

– Joe, je pense que le robinet de la cuisine a une nouvelle fuite, dit-elle en me désignant du menton avec insistance.

– Ah non, pas encore ça...

– Sam, c'était un plaisir de faire ta connaissance, déclare maman.

À voir le sourire chaleureux qu'elle lui fait, je sens qu'elle l'aime beaucoup.

– À plus tard, Becky. Sois prudente.

– D'accord, maman. À tout à l'heure.

Ça me fait du bien de passer à nouveau du temps avec Sam. J'oublie tous les soucis que j'ai eus à l'école récemment. Mais en arrivant près du parc, je commence à me sentir de nouveau toute chamboulée. Ce que j'ai fait à Shannon me tracasse. J'ai beau essayer de ne pas y penser, la scène rejoue en boucle dans ma tête et mon geste me trouble. Quand nous franchissons l'entrée du parc, je ne peux plus me contenir.

– Sam, est-ce que je peux te demander quelque chose ?

– Ah non, je refuse d'expliquer la règle du hors-jeu, blague-t-il.

– Je suis sérieuse.

– Oh, d'accord. Qu'est-ce qu'il y a ?

Je prends une grande respiration. J'espère que ma question ne le mettra pas tout à l'envers.

– Ton ami, Colin... Comment était-il ?

Le regard de Sam se plante dans le mien.

– Que veux-tu dire ?

– Parle-moi de lui.

Sam hésite pendant une seconde ou deux.

– Colin était plein de vie. Intelligent. Drôle. Intrépide. C'était mon meilleur ami... Même s'il empruntait toujours mes devoirs pour les copier et se permettait ensuite de me dire que j'avais fait des fautes ! Au fond, il représentait le frère que je n'ai jamais eu.

Sam plonge dans ses pensées, l'air un peu assombri. Nous marchons jusqu'au kiosque à musique et nous nous assoyons sur les marches en bois.

– Qu'aimait-il faire ?

– Bof ! Des affaires de gars. Il était particulièrement doué pour les sports. C'était presque frustrant de le voir aller. Il a déjà été repéré par une académie de soccer.

– Wow.

– Mais il n'y est pas allé.

– Ah non ? Pourquoi ?

– Il était comme ça ; plutôt indépendant. Il a dit qu'il préférait le hockey.

– Je suppose qu'il était bon dans ce sport aussi.

Ma voix a tremblé en disant ces mots. Mais Sam ne semble pas l'avoir remarqué.

– C'était un excellent joueur. Il faisait partie de l'équipe régionale et avait mérité le titre de meilleur compteur.

Je me retourne pour éviter que Sam voie mon air stupéfait.

– Que peux-tu me raconter d'autre à son sujet ?

– Il était passionné par l'environnement. Il refusait de manger de la viande. Il pouvait se nourrir uniquement de sandwiches au beurre d'arachides.

Je fige. Je suis incapable de prononcer un seul mot, même si j'ai un tourbillon de pensées dans la tête.

– Ça va ?

– Euh... Oui.

Un cœur pour deux

Les hérons ont fait leur nid sur la petite île au milieu du lac. Un couple de cygnes vogue calmement, suivi de leurs bébés au duvet épais. Ils restent indifférents aux cris enthousiastes des enfants qui leur lancent des morceaux de pain le long de la berge.

– Colin aimait-il les cygnes ?

– Les cygnes ? Euh, non… pas particulièrement, en tout cas. Il aimait tous les animaux. Il participait volontiers à des marches contre la cruauté faite envers les animaux et à des événements du genre.

– Il semblait plutôt sérieux…

– Non. Il était vraiment comique. On riait tout le temps. Et il jouait constamment des tours.

– Comme quoi ?

– Un jour, on était à une assemblée interminable et vraiment endormante ; un genre de rassemblement de fin de session, tu vois le genre ? Eh bien, après une dizaine de minutes, il s'est éclipsé sans que je puisse l'en empêcher et sans que personne le voie. À la pause, quand nous sommes sortis, nous avons constaté qu'il avait mis tous les pupitres de notre classe dehors et les avait placés sur la pelouse exactement dans la même position qu'à l'intérieur.

– Est-ce qu'il s'est fait prendre ?

– Ah ! Non ! Il ne se faisait jamais prendre.

Je me sens soulagée. Il semble que, du haut de ses quinze ans, Colin était un gars très talentueux, gentil et parfaitement normal.

– On était des amis depuis l'école primaire. On prévoyait voyager ensemble après nos études et parcourir le monde, sac au dos. Mais…

Sam réfléchit, le front plissé.

– Il avait changé. Pendant le dernier mois de sa vie, il était différent.

– Comment ?

– Je ne sais pas. Il était souvent fâché, secret et mystérieux. On se disputait beaucoup.

– Que s'était-il passé ?

– Il ne voulait pas m'en parler. Je lui ai posé la question à plusieurs reprises. Mais il refusait de partager ce qui le rongeait. Il gardait tout à l'intérieur de lui.

La voix de Sam se remplit peu à peu d'amertume. Je sens bien que cette discussion est douloureuse pour lui. Malgré cela, j'ai besoin de connaître la vérité.

– Qu'est-il arrivé ensuite ?

– Il a commencé à sécher des cours. Puis, certains jours, il ne se présentait même plus à l'école. La semaine avant qu'il meure, il s'est bagarré et a été suspendu. C'est la dernière fois que je l'ai vu.

– Avec qui s'est-il battu ?

Sam ne répond pas. Mais je ne peux m'empêcher d'insister.

– Dis-moi. Avec qui ?

– Avec moi. Il s'est battu avec moi.

On reprend notre promenade dans le parc, mais on dirait qu'une ombre s'est glissée entre nous deux. C'est comme si nous étions maintenant trois à parcourir le sentier : Sam, moi et Colin. Je demeure muette. En arrivant au bord du lac, Sam relance la conversation.

– Becky, pourquoi voulais-tu savoir ces choses sur Colin ?

Même si je m'attendais à me faire poser cette question, je ne suis pas encore prête à y répondre.

– Je, euh... C'était ton ami, alors je...

Sam se plante devant moi et me fixe. Je vois dans ses yeux noirs qu'il n'est pas dupe et veut connaître la véritable raison. Je rougis d'un seul coup. Mes pensées se bousculent. Que faire ? Je respire profondément pour gagner du temps.

– Il y a quelque chose que je dois te dire.

Je lui parle alors du virus que j'ai attrapé et qui m'a rendue très malade pendant deux ans. J'explique que j'étais si faible, il y a quelques mois, que je serais morte aujourd'hui si je n'avais pas reçu une greffe cardiaque.

Je raconte ensuite la nuit où on a reçu un appel pour se rendre à l'hôpital à toute vitesse. Je décris aussi la sensation étrange que j'ai ressentie en me réveillant quarante-huit heures plus tard avec un nouveau cœur. Et j'exprime combien j'apprécie la chance que j'ai d'avoir maintenant une vie devant moi. Sam m'écoute sans prononcer un seul mot.

Je termine mon récit. Nous sommes debout côte à côte, au bord du lac, à fixer la surface miroitante de l'eau. Pendant un moment, ni l'un ni l'autre n'ose briser le silence inconfortable qui s'est installé. Je sens des larmes me gonfler les paupières ; j'ai beau cligner des yeux pour les refouler, elles se mettent à couler.

– Ce n'est pas tout. Je connais ce parc. J'en connais chaque coin, même si je n'étais jamais venue ici avant le jour où je t'ai rencontré.

– Je ne comprends pas.

– Et je t'ai vu à plusieurs occasions avant cette fois-là.

– Becky, qu'est-ce que tu racontes ?

– Ce que j'essaie de te dire, c'est que, depuis ma greffe... J'ai vu tout ça, je connais tout ça : toi, ce parc, d'autres endroits, d'autres personnes... Je sais que ça n'a aucun sens, mais c'est comme si toutes ces choses et toutes ces personnes avaient toujours été gravées dans ma mémoire.

– Comment ?

– Ce sont les souvenirs de Colin.

– Quoi ?

– Le cœur de Colin bat dans ma poitrine, j'en suis convaincue.

– Qu'est-ce que tu dis là ? Mais non... c'est impossible.

Sam ne peut pas y croire. Il pousse un rire nerveux et s'éloigne un peu de moi.

– Colin est mort le quinze octobre, pas vrai ?

– Comment le sais-tu ?

– C'est la nuit où j'ai reçu ma greffe.

– Écoute... C'est une pure coïncidence. Ce genre de chose arrive souvent. Des études scientifiques ont même été effectuées à ce sujet. Les gens pensent être en train de vivre un phénomène surnaturel, mais ce n'est pas le cas. Ce n'est que le fruit du hasard ou de leur imagination.

– Sam, ce qui s'est produit, et ce qui m'arrive encore, n'est pas une coïncidence. La première fois que je t'ai vu, c'est quand je me suis réveillée de mon opération. Je t'ai aperçu deux fois à l'hôpital. Je pensais que tu étais un autre patient. Puis, quand je suis rentrée à la maison, tu m'es apparu sur le palier pendant que je montais l'escalier. Tu m'as fait tellement peur ! Et, quelques semaines plus tard, je t'ai rencontré en personne, et j'ai alors compris que tu étais le meilleur ami d'un gars qui est mort le jour où j'ai eu ma greffe. Ce n'est pas un hasard. C'est Colin qui nous a mis sur le même chemin.

– J'ai besoin de m'asseoir, marmonne Sam.

Il se dirige vers un banc placé tout près. Il réfléchit, incrédule. Soudain, il lève les yeux vers moi avec un air troublé.

– Supposons que tu as reçu le cœur de Colin, ce qui serait plausible puisqu'il possédait une carte de donneur, ça n'explique pas pourquoi tu aurais hérité de ses souvenirs. Un cœur, c'est juste un cœur. Ce que tu suggères est impossible.

J'essaie de le convaincre du contraire. Cependant, je ne lui raconte pas que j'ai blessé Shannon et que j'ai peur que l'agressivité de Colin commence à déteindre sur moi. Je lui parle plutôt de mon nouveau goût prononcé pour le beurre d'arachides et de mon aversion soudaine pour la viande, de mon envie subite de repeindre ma chambre et du talent insoupçonné pour le hockey que je me suis découvert la semaine dernière.

– Je n'y comprends rien, moi non plus, mais tout ce que je te dis est vrai. Crois-moi, je t'en prie.

Comme si sa tête était trop lourde, Sam l'appuie dans sa main et regarde au loin. Puis, il se tourne vers moi. Il semble bouleversé et plus distant.

– Je ne sais pas ce qui se passe, mais ça n'a rien à voir avec Colin. Rien. C'est de la folie !

On se dirige vers la sortie du parc en échangeant à peine quelques mots. Sam a été très clair : il ne croit rien de ce que je lui ai raconté. Et moi, je ne sais pas comment le convaincre du contraire. Alors on se dit poliment au revoir, puis on part chacun de notre côté.

Quand j'arrive à la maison, Joe est dans la cuisine.

– Alors ? Où est ce cher Sam ?

– Il est retourné chez lui.

– Oh.

Le sourire que je m'étais efforcée de faire en arrivant s'est estompé. Joe me dévisage.

– Ça va ? me demande-t-il.

– Je te l'ai déjà expliqué : on est juste des amis.

En tout cas, on l'était jusqu'à aujourd'hui, me dis-je amèrement.

– Ah... Oui, bien sûr. Tu veux du thé ?

– Non, merci.

Je monte à la hâte m'allonger sur mon lit. Soudain, l'image de la maison aux volets verts revient me hanter ; j'essaie de la chasser de mon esprit en examinant mes murs fraîchement repeints. Quand elle disparaît enfin, je pousse un petit grognement de soulagement. Je ferme les yeux. Je suis épuisée et j'ai mal aux jambes. J'aimerais bien dormir, mais trop de choses me trottent dans la tête. Maman m'appelle pour que je descende souper. Je n'ai pas faim. Je mange quelques bouchées pour lui faire plaisir. Puis, dès que le moment est propice, je bredouille une excuse et retourne à ma chambre.

À vingt-trois heures, j'éteins la lumière. Malgré ma fatigue, le sommeil tarde à venir. J'ai beau essayer de trouver une explication logique et rationnelle à tout ce qui se passe, mes pensées tourbillonnent sans arrêt. Si ça continue, je vais devenir folle !

Le jour se lève, et je suis encore éveillée. J'entends les oiseaux chanter dehors. Je promène mon regard dans ma chambre. Une manche de mon ensemble de jogging dépasse de l'un des tiroirs de ma commode et attire mon attention. Dix minutes plus tard, je dévale l'escalier, tout habillée. Je passe la porte en informant maman que je m'en vais courir.

J'ai commencé à jogger à l'âge de neuf ans. C'était juste après cet horrible Noël où papa a quitté la maison et où tout mon univers s'est écroulé. Je sortais en catimini, et je parcourais des kilomètres jusqu'à ce que mes idées soient plus claires et que je me sente plus calme. À mon retour, maman me chicanait de ne pas l'en avoir avisée, mais le bien-être que je ressentais valait la peine d'être réprimandée. Chaque fois, je me rendais un peu plus loin.

Puis, un jour de février où il neigeait à plein ciel, je me suis retrouvée assez loin de la maison ; j'étais égarée, mais ça ne me dérangeait pas. J'ai traversé une rue, et une voiture a failli me renverser. Le conducteur a appelé les secours. Une policière m'a ramenée, et j'ai alors eu droit à la plus grande colère que maman m'a jamais faite. Puis, une semaine plus tard, elle est allée à l'école pour discuter avec mon professeur, et celui-ci m'a inscrite à une course pour les élèves de onze ans et moins. À partir de ce moment-là, j'ai remporté mes premiers trophées et médailles. Papa me manquait encore, mais au moins j'étais fière de moi.

Je sors dans la rue. J'entame une marche rapide pour m'échauffer et, quand j'arrive à la croisée des chemins, je tourne à droite et je me mets à jogger lentement. J'essaie de chasser Colin de mon esprit, mais mes pensées reviennent toujours vers lui. Il était troublé, faisait l'école buissonnière et s'est bagarré avec Sam. Qu'a-t-il fait d'autre ? Je panique tout à coup et j'ai un point au ventre.

Je tâche de me concentrer plutôt sur ce qui m'entoure. À cette heure matinale, il y a déjà beaucoup de trafic. Je compte les voitures pour me distraire, mais ça ne fonctionne pas. Je pense encore à Colin. J'accélère la cadence en faisant des enjambées plus longues et plus rapides. Ça m'aidera sans doute à me calmer. Mais, au contraire, une crainte m'envahit de plus en plus. Je sens qu'une chose terrible est sur le point de se produire et que je ne peux rien faire pour l'en empêcher.

Une femme croise mon chemin et me dévisage. J'ai le souffle court et rauque. Mon cœur cogne comme un marteau. On dirait que je suis enveloppée dans un bandage de plus en plus serré qui comprime chaque molécule d'air dans mes poumons. Une douleur lancinante me déchire la poitrine. Mes mains sont moites. Je me sens tout étourdie.

La rue, les voitures, les passants : tout devient flou autour de moi. Je m'éloigne du trafic et je retourne sur mes pas en titubant. Mes yeux se fixent sur une enseigne lumineuse qui indique « Ouvert sept jours par semaine ». Je comprends soudain que mon cœur est sur le point de s'arrêter. Si je ne me rends pas jusque chez moi, je vais mourir ici, dans la rue principale, devant la buanderie du coin.

J'arrive enfin. Je pousse le portillon de la cour, que je traverse en chancelant. Je frappe ensuite à la porte jusqu'à ce que maman vienne l'ouvrir.

Alarmée de me voir dans cet état, elle m'aide à entrer et à m'asseoir.

Avant que j'aie pu dire un mot, elle a déjà pris le téléphone et compose un numéro. Je l'entends demander le plus calmement possible d'envoyer une ambulance.

Trois heures plus tard, je suis installée sur une civière dans la salle d'urgence de l'hôpital, branchée à une panoplie d'écrans. Un peu plus loin, maman discute à voix basse avec le personnel qui m'a examinée. J'essaie d'entendre leur conversation, mais je n'arrive qu'à en saisir quelques bribes. Ils se dirigent enfin vers moi, l'expression grave. Je me prépare au pire.

– Tout va bien, Becky, m'assure maman.

Elle semble complètement soulagée ; toute la tension que je percevais en elle tout à l'heure a disparu. Elle me fait un câlin en prenant garde à ne pas accrocher les fils auxquels je suis branchée.

Je la regarde d'un air confus.

– Tu es en parfaite santé, insiste-t-elle.

– Mais... Je ne comprends pas.

– Il n'y a aucun problème. Ton cœur fonctionne parfaitement, m'explique le docteur avec un sourire réconfortant. On a fait les tests nécessaires et, jusqu'à maintenant, tous les résultats démontrent qu'il bat à merveille. Pas le moindre signe de rejet non plus.

Il débranche les écrans et tous les fils.

– Alors, que s'est-il passé ?

– On pense que tu as eu une crise de panique. Tu n'as pas à t'inquiéter à propos de ton nouveau cœur. Il est en excellent état !

– Mais il m'arrive plein de trucs...

– Comme quoi ? demande le docteur.

– Je vois des choses et des lieux où je ne suis jamais allée, et des gens que je n'ai jamais rencontrés...

– Les crises de panique sont terrifiantes. Elles peuvent causer toutes sortes de symptômes physiques, comme le pouls qui s'accélère, des sueurs, la sensation d'étouffer, une douleur à la poitrine. Certaines personnes ont aussi des effets secondaires qui ressemblent à des rêves. On appelle ce phénomène la déréalisation. C'est un peu comme être en transe, dans un état de conscience altérée.

– Ne t'inquiète pas, Becky. Tout va bien, répète maman.

Elle prend ma main dans la sienne pendant que le docteur vérifie ses notes.

– Ce sont peut-être tes médicaments immunodépresseurs qui te rendent aussi émotive. Cependant, comme je l'ai dit tout à l'heure, ton cœur se porte à merveille.

– Mais... est-ce que c'est un « bon » cœur ?

– Qu'entends-tu par là ?

Il hésite à répondre, comme si ma question dépassait les limites de son rôle.

– Bien sûr ! C'est un très bon cœur : il est fort et pompe comme il faut. Tu as beaucoup de chance d'avoir eu une greffe et qu'elle ait aussi bien réussi. Tellement de gens ont besoin de nouveaux organes, et il y a si peu de donneurs. Chaque semaine, je vois des personnes mourir dans l'attente d'un cœur qui fonctionne. Je t'en prie, retourne chez toi, vis ta vie, et sois heureuse.

Pendant quelques jours, je réfléchis à ce que le docteur m'a dit. Il a raison. Je dois suivre ses conseils. Je *veux* suivre ses conseils. Vraiment. Mais je n'y arrive pas.

Maman me recommande de sortir et de recommencer à voir Léa, Julie et Alicia. Je l'écoute et je lui fais signe que oui pour la rassurer, mais je me garde de lui expliquer la situation. De toute manière, même si j'avais encore des amies, je ne crois pas que je serais prête à voir qui que ce soit. Je préfère rester dans ma chambre, en compagnie de ces images et de ces gens qui peuplent mon esprit. J'essaie de me persuader que je suis toujours moi-même, et que la personnalité de mon donneur n'a aucune influence sur moi.

Finalement, je décide d'envoyer un texto à Audrey. Elle n'a pas vécu exactement le même genre d'expérience que moi, mais elle a eu une greffe et peut me comprendre un peu. Une heure plus tard, je n'ai toujours pas de ses nouvelles alors je lui téléphone. Mais je tombe sur sa boîte vocale. Peu de temps après, mon cellulaire sonne. Ce n'est pas elle ; c'est Sam. Il veut me voir. Je ne comprends pas pourquoi, et je ne sais pas quoi faire. D'un côté, j'ai vraiment envie de le revoir, mais, d'un autre, j'ai peur.

On s'est donné rendez-vous à l'entrée du parc. Maman m'y dépose et envoie la main à Sam, qui m'attend là-bas. Je promets à ma mère de garder mon téléphone allumé en tout temps et de me faire raccompagner par Sam.

Il y a beaucoup de familles et d'enfants aujourd'hui ; c'est une belle journée de printemps, et en plus, c'est la semaine de relâche. On se rend au kiosque à musique sans dire un mot. Je me sens fébrile d'être ici ; je me demande si j'ai bien fait de venir.

– Est-ce que ça va ?

– Oui, ça va. Je suis désolée de t'avoir choqué l'autre jour.

On s'assoit côte à côte. Un groupe de petits garçons courent derrière une balle. Je pense à Danny, qui est à peu près du même âge qu'eux. Je m'en veux de le traiter si mal et de toujours lui crier après.

Sam garde les yeux sur leur jeu ; il évite mon regard.

– Tu n'as pas à t'excuser.

Je sens qu'il n'est pas sincère.

– Allons marcher, propose-t-il en m'aidant à me lever.

On traverse le parc, descend au bord du lac, puis remonte le sentier. On passe ensuite devant le terrain de jeux où grouillent des tas d'enfants hauts comme trois pommes. Ils s'amusent sur les balançoires, les glissoires et les structures à escalader.

Nous sommes maintenant presque à l'autre extrémité du parc. J'aperçois devant nous la petite clôture en fer et un portillon ouvert.

De l'autre côté, la rue est bordée de maisons à trois étages avec de jolies terrasses. On se rend à l'intersection, où il y a un dépanneur.

En passant devant la porte entrouverte, je détecte une odeur d'épices mélangée à celle de poudre de savon. Ça me rappelle quelque chose, mais quoi ? Je la respire et, pendant un instant, une sensation de bonheur m'envahit et chasse toutes mes peurs.

– Par ici, dit Sam.

Il m'observe tandis que j'hésite.

– Où allons-nous ?

– Nulle part en particulier.

Il hausse les épaules, puis m'indique qu'on tourne à gauche.

À mesure qu'on avance sur cette petite rue, je devine pourquoi le dépanneur m'a paru si familier. Et là, au bout du virage, je la vois enfin... Je me tourne vers Sam, qui garde les yeux droit devant lui. Il ne semble pas se rendre compte de ce qui m'arrive. Je murmure :

– Cette maison, là-bas... Celle avec les volets verts. Quelqu'un a changé le portillon et repeint la porte d'entrée.

Sam me fixe d'un air ébahi.

– Comment le sais-tu ?

– Le portillon était brisé. Et la porte d'entrée était d'un vert plus foncé. C'est la maison de Colin, pas vrai ?

On se dirige vers la maison en question. À l'exception du portillon et de la porte d'entrée, tout est exactement comme je l'avais visualisé.

Sam est blanc comme un drap. Quant à moi, mon cœur bat très fort, à la fois de joie et de terreur.

– C'est la maison où Colin vivait, n'est-ce pas ?

Il acquiesce d'un lent signe de la tête. Cette fois, je sais que je ne suis pas en train d'avoir une crise de panique. Tout ce que je vois et ressens est bel et bien vrai.

On admire le jardin devant la maison. Le temps des jonquilles est presque fini ; leurs pétales jaunes commencent à faner. Mais, sous le grand magnolia, les jacinthes se préparent à éclore.

– Je te demande pardon, Becky : je t'ai emmenée ici pour te tester.

– Et puis ? Est-ce que j'ai réussi l'examen ?

Il répond « oui » de la tête, avec une certaine peur dans ses yeux.

La porte d'entrée de la maison s'ouvre. Une petite dame d'environ quarante ans aux cheveux blonds sort sur le perron et y dépose quelques bouteilles de lait.

– C'est la mère de Colin.

Quand je chuchote ces mots, mon cœur bondit. Sam me confirme que c'est bien elle. Il lui fait signe de la main.

– Sam !

Elle vient à notre rencontre. Elle sourit, mais a les yeux tristes.

– Bonjour, madame Hogan. Comment allez-vous ?

– De mieux en mieux. Quel plaisir de te voir ! Viens, entre un instant... Charlie est ici.

Sam lance un regard dans ma direction.

– Ton amie est la bienvenue aussi, bien sûr.

Elle se tourne vers moi.

– Notre maison était la deuxième résidence de Sam, avant.

– Je vous présente Becky.

– Allô, dis-je maladroitement.

Madame Hogan a les yeux cernés. On dirait qu'elle n'a pas dormi depuis des mois. Je suis émue de la rencontrer et je sens que je devrais dire ou faire quelque chose de plus... comme lui donner un gros câlin, malgré ma phobie des bactéries et même si c'est une parfaite étrangère. Quoique... En réalité, elle n'en est pas tout à fait une.

– Salut, répond-elle naturellement.

À ses yeux, je suis juste une copine du meilleur ami de son fils. J'aimerais tellement lui dévoiler la vérité. Mais je ne peux quand même pas lui annoncer bêtement que le cœur de son fils bat en moi.

– Entrons. Je vais préparer du thé.

Elle nous guide dans l'étroit couloir, et nous fait signe de continuer jusqu'à la cuisine.

– Charlie, Sam est ici ! Charlie ! appelle-t-elle du bas de l'escalier.

En entrant dans la cuisine meublée d'une table en pin et de chaises en bois peint, Sam me glisse à l'oreille qu'il n'est pas revenu ici depuis les funérailles de Colin.

Madame Hogan arrive derrière nous.

– Charlie va descendre dans un instant.

Une minute plus tard, une grande blonde d'environ dix-huit ans apparaît dans l'embrasure de la porte. Je la reconnais tout de suite, mais je suis quand même impressionnée par sa grande beauté.

– Hé ! Salut, Sam. Comment vas-tu ?

Elle lui décoche un sourire, et Sam lui renvoie la pareille. Il rayonne comme s'il venait de gagner à la loterie.

Je me sens rougir de jalousie. J'espère que Sam ne s'en rend pas compte. En fait, à voir comment il continue à regarder Charlie avec ce sourire stupide collé au visage, je parie que non.

On s'assoit tous à la table. Curieusement, Sam, Charlie et madame Hogan ont tous évité de choisir la chaise bleue. Je présume que c'était la place de Colin. Je l'imagine ici, le soir, à savourer un repas avec sa famille, à raconter les hauts et les bas de sa journée, à rire et à bavarder.

Madame Hogan nous tend des tasses de thé, et on cause d'une foule de sujets décousus : le parc, la planche à roulettes, l'école, les cours de Charlie, ce qu'on rêve de faire quand on aura terminé nos études. Bref, on parle de tout, sauf de Colin. Pourtant, je sais qu'il occupe toutes nos pensées. C'est comme s'il était parmi nous en ce moment, assis sur cette chaise bleue sans qu'on puisse le voir, et qu'il écoutait chaque mot de notre discussion. Ce serait impoli de jaser de lui en sa présence. Quand on finit notre thé et que la conversation commence à s'étioler, madame Hogan se lève et dépose les tasses dans l'évier.

– Merci, madame Hogan. Je pense qu'on devrait y aller, maintenant, dit Sam.

Pendant une seconde ou deux, elle hésite. Puis, sans se retourner, elle s'adresse doucement à Sam.

– Il y a des affaires à toi dans la chambre de Colin. Charlie, va leur montrer où elles se trouvent, d'accord ?

– OK.

Je sens que c'est encore trop douloureux pour madame Hogan d'entrer dans la chambre de son fils. Même le fait de prononcer son prénom lui semble difficile, d'après le son de sa voix. Je repense à la lettre que j'ai voulu écrire à la famille de mon donneur, avec mes tentatives maladroites de les remercier et d'exprimer ma profonde tristesse pour la perte qu'ils ont subie. Je n'avais aucune idée avant maintenant de l'ampleur d'un tel deuil.

Nous montons tous les trois à l'étage. Je devine d'instinct que la chambre de Colin est celle située au bout du palier, à gauche. Mais je ne suis pas du tout préparée à ce que je vais voir en y entrant.

La pièce est décorée dans les mêmes teintes que le bleu que j'ai utilisé pour peindre mes murs. Le lit est placé sous la fenêtre, exactement là où j'ai finalement installé le mien. Le placard, la commode et le bureau sont disposés comme dans ma chambre.

– Maman est incapable de changer quoi que ce soit. Tout est resté intact depuis le jour où Colin est mort. Je suppose que la réalité ne l'a pas encore vraiment rattrapée. Je pense qu'une partie de ma mère s'attend à ce qu'il revienne à la maison d'une minute à l'autre.

Charlie ouvre la garde-robe de son frère en soupirant. Elle en sort un sac à dos noir et une vieille planche à roulettes.

– Je pense que c'est tout ce que tu avais ici.

– Merci, Charlie.

– Oh, un de tes CD se trouve dans ma chambre, dit-elle en se dirigeant vers la porte.

– Ça va, garde-le, ce n'est pas grave. Est-ce que ton père est ici ?

Charlie se retourne d'un coup.

– Mes parents se sont séparés l'an dernier ; je pensais que tu le savais.

– Non, je n'en avais pas la moindre idée. Je suis vraiment désolé, Charlie.

– Papa est parti quelques semaines avant la mort de Colin.

– Il ne m'en avait pas parlé.

– Colin a refusé de le revoir après son départ. C'est à ce moment-là qu'il a commencé à dérailler, à manquer ses cours et à s'attirer des ennuis. Certaines nuits, il ne rentrait même pas à la maison.

– Colin ne me confiait plus rien ; mais je savais que quelque chose n'allait pas.

– Un matin, il est arrivé à la maison avec le visage amoché. Dieu seul sait dans quoi il s'était embarqué.

Charlie fronce les sourcils.

– C'est comme s'il avait appuyé sur un énorme bouton d'autodestruction.

Perdus dans nos pensées, Sam et moi remontons en silence la rue où habitait Colin. C'est devant le dépanneur qu'il sort de son mutisme.

– Pourquoi ne m'avait-il pas dit que ses parents s'étaient séparés ? Au lieu de me battre avec lui, j'aurais pu faire quelque chose pour l'aider.

– Ce qui est arrivé n'est pas ta faute.

Il secoue la tête tout en soupirant.

– Tu n'en sais rien. J'aurais peut-être pu l'empêcher de faire des bêtises, de commettre l'irréparable.

Il s'aperçoit tout à coup de la portée de ce qu'il vient de dire.

– Oh, je m'excuse. Je ne voulais pas te...

– Ça va, ne t'en fais pas.

Je cligne des yeux pour refouler les larmes qui me montent aux yeux.

On entre dans le parc et on traverse la pelouse. Je trouve enfin le courage de lui poser la question qui me trotte dans la tête depuis des mois.

– Que s'est-il passé, Sam ? Comment Colin est-il mort ?

– Je ne le sais pas exactement. Environ une semaine après notre bagarre, j'ai reçu un appel inattendu de lui. Il était tard, presque minuit. Il n'était pas à la maison ; il ne voulait pas me dire où il se trouvait. Il semblait agité, troublé. Il m'a demandé de mentir à sa mère : de prétendre qu'il était chez moi si jamais elle m'appelait. Il ne voulait pas qu'elle s'inquiète. Je l'ai supplié de me raconter ce qui se passait. Mais il m'a dit qu'il n'avait pas le temps de parler, qu'il devait y aller. Puis, il a raccroché. J'ai tout de suite composé son numéro, mais il avait éteint son téléphone. Le lendemain, j'ai appris qu'il avait été frappé par une voiture moins d'une heure après cet appel. Le chauffeur était en état de choc. Il a signalé que Colin était sorti de nulle part et s'était jeté devant lui sur la route. Il n'avait rien pu faire pour l'éviter. Colin était mort sur le coup.

En arrivant devant chez moi, je suis soulagée d'entendre Sam me dire qu'il doit repartir tout de suite chez lui. J'adore passer du temps avec lui ; le problème, c'est que je pense constamment à Colin en sa présence. J'ai besoin de prendre un peu de recul pour réfléchir à tout ça et y voir plus clair.

Je songe aux changements de comportement que Sam avait constatés chez Colin le mois avant son décès. Ça me rappelle la colère incontrôlable qui s'est emparée de moi quand j'ai poussé Shannon et lui ai cassé le poignet.

À chaque battement, le cœur de Colin est en train de modifier ma personnalité, pour le meilleur et pour le pire. Je ne peux pas échapper à cette réalité. Ses souvenirs m'affectent. Ma famille a remarqué que je suis différente depuis ma greffe. Tout le monde à l'école s'en est aperçu. Je ne suis plus la même personne qu'avant.

Que se passait-il donc dans la vie de Colin ? D'après ce que Sam et Charlie ont raconté, il était impliqué dans une sale affaire. Il devait se trouver dans une situation difficile.

Le soir où il est mort, il a couru au-devant d'une voiture. Était-il poursuivi ? Charlie a dit qu'il manquait ses cours et qu'il lui arrivait de ne pas rentrer dormir à la maison. Était-il mêlé à un gang de rue ? Chaque semaine, les journaux rapportent des bagarres et des agressions au couteau. Un frisson d'effroi me parcourt le dos. Colin a-t-il blessé quelqu'un, et est-ce pour ça que j'ai blessé Shannon ? Mon imagination se promène d'un scénario d'horreur à un autre.

Cette nuit, j'ai du mal à dormir. Un cauchemar me tourmente : je suis confinée dans un espace restreint avec des étrangers. Il fait noir, et il n'y a aucune issue.

Je me réveille en sursaut. Je prends de grandes respirations pour me calmer tout en vérifiant si je me trouve réellement dans cet endroit terrifiant. Peu à peu, mes yeux s'ajustent à l'obscurité et je commence à reconnaître la forme familière des meubles et des objets dans ma chambre. Assise dans mon lit, maintenant trop effrayée pour me rendormir, j'attends le lever du jour. Je ne suis toujours pas convaincue d'être en sûreté. La seule chose dont je suis certaine, en ce moment, c'est qu'on m'a greffé un mauvais cœur.

J'examine le morceau de bacon dans mon assiette. Danny me regarde avec curiosité.

– Je croyais que tu ne mangeais plus de viande ?

Il vient d'engloutir ses quatre tranches de lard, deux œufs et une tomate frite. Il s'attaque maintenant à son deuxième bol de céréales.

– J'ai changé d'idée ; j'aime peut-être encore ça.

Je repousse la viande du bout de ma fourchette tout en cherchant le courage de la mettre dans ma bouche.

Danny m'observe attentivement. Il s'est habillé fièrement de la tête aux pieds aux couleurs de l'équipe Manchester United pour aller à un cours de mi-saison.

– Si tu n'en as pas envie, je le mangerai. Je vais avoir besoin d'énergie aujourd'hui.

Je pique dans la chair séchée et me pousse à en prendre une bouchée.

– Trop tard. Désolée, mon coco.

Le goût salé du porc pique mes papilles et je réprime une grimace. Je tourne le morceau de viande dans ma bouche, puis je le mastique rapidement et l'avale d'un coup. Mon estomac veut le rejeter aussitôt, mais je m'efforce de le garder.

Joe a pris quelques jours de repos pendant la semaine de relâche puisque maman devait continuer à travailler.

– Qu'aimerais-tu faire aujourd'hui, Becky ? me demande-t-il en mettant du beurre sur ses rôties. Tu décides. Tout est possible, sauf certains trucs comme un voyage en Floride, une visite dans un parc d'attractions super cher ou une bande d'adolescents hyperactifs dans la maison. J'ai reçu des ordres très stricts.

Soudain, je me demande ce que Léa, Julie et Alicia ont prévu de faire cette semaine. J'ai évité de penser à elles au cours des derniers jours. Avant que je tombe malade, nous étions toujours ensemble toutes les quatre pendant les vacances et on avait beaucoup de plaisir. Cette belle époque est révolue.

– Eh bien... il y a une chose que j'aimerais faire.

– La thérapie habituelle par le magasinage, je présume ?

– D'une certaine manière, oui. Je veux dépenser l'argent que j'ai reçu à mon anniversaire.

Trente minutes plus tard, on dépose Danny au centre sportif, puis je guide Joe vers un grand magasin en périphérie de la ville.

– Dis-moi, Becky, que veux-tu acheter, au juste ?

– De la peinture.

– De la peinture ?

– Oui, je veux repeindre ma chambre et la réaménager.

– Oh non, encore ? Dis-moi que tu blagues.

– Je suis très sérieuse.

– Becky, ne plaisante pas avec moi, je t'en prie.

– Je t'assure que non. Vas tu m'aider, Joe ? S'il te plaît !

Quand il comprend enfin que je suis déterminée, il soupire en secouant la tête.

– Bon, d'accord. Quelle couleur veux-tu, cette fois-ci ?

Je fige ; je n'avais même pas encore réfléchi à ce détail.

– N'importe laquelle, pourvu que ce ne soit pas dans les tons de bleu.

On achète finalement un gros pot de peinture jaune et quelques rouleaux neufs. Une heure plus tard, Joe m'aide à pousser tous mes meubles au milieu de ma chambre.

– Je me demande bien ce que ta mère va dire de tout ça.

– Elle adore le jaune.

– Tu sais bien que je ne parlais pas de la couleur.

On s'affaire toute la matinée et on finit juste avant midi.

– Bon, dit Joe en examinant la pièce. Est-ce que ça valait la peine ?

Je fais signe que oui. Je suis tellement soulagée. Ça me prouve que je dois effacer et éviter tout ce qui a rapport à Colin. Changer la couleur de mes murs est un des moyens que j'ai trouvés pour y parvenir.

– Merci.

– On pourra replacer les meubles dans quelques heures, quand la peinture sera sèche, m'informe-t-il.

– Super. Mais je ne veux pas les remettre comme ils étaient avant.

Joe me regarde avec une mine ennuyée.

– Bon. Et pourquoi pas ?

Je hausse les épaules.

– Je... J'ai juste besoin d'un peu de changement.

Maman n'est pas contente que Joe et moi ayons repeint ma chambre. Elle nous chicane tous les deux.

– Au moins, tu as fait un beau travail cette fois-ci, me concède-t-elle enfin.

Elle peut se fâcher tant qu'elle veut, ça ne me dérange pas. L'important, c'est que je réussisse enfin à m'ôter Colin de l'esprit. En me débarrassant de tout ce qui me fait penser à lui, je pourrai peut-être me libérer de son emprise.

Je suis épuisée, mais je tarde à aller au lit. Quand je finis par m'endormir, un autre cauchemar vient troubler mon sommeil. Je me retrouve encore une fois dans le noir, entourée d'étrangers, dans le même espace exigu que la dernière fois. Cette fois-ci, je sens clairement la présence de Colin ; il est avec moi et j'ai peur. Je m'éveille en sursaut. Maman est assise au bord de mon lit. J'ai dû crier.

– Becky, calme-toi. Tout va bien, dit-elle en me caressant les cheveux.

Je scrute ma chambre, les yeux écarquillés de stupeur. Mes affaires sont à leur nouvelle place. Pourtant, j'ai encore cet horrible pressentiment d'un danger imminent.

– C'était un rêve, Becky. Juste un rêve. J'avais dit à Joe qu'il serait préférable d'attendre un jour ou deux avant que tu puisses dormir de nouveau dans ta chambre. L'odeur de la peinture est encore forte. Ça ne m'étonne pas que tu aies fait un cauchemar.

Je sais trop bien que l'odeur de la peinture n'a rien à voir avec ça. Je suis sûre que je dois me détacher de Colin et couper autant de liens que possible avec lui. Pour commencer, je n'irai plus me promener au parc. Et puis, je vais tenter de bloquer ses souvenirs qui m'apparaissent tout le temps.

Le lendemain matin, je comprends qu'il y a une autre chose que je dois faire, et ça va me demander beaucoup de courage.

– Sam ?

Assise dans l'escalier, le combiné du téléphone collé contre mon oreille, je redoute le son de sa voix.

– Hé ! Salut, Becky !

Mon cœur bondit en l'entendant. Je n'ai vraiment pas envie de mettre mon plan à exécution.

– Qu'est-ce que tu fais aujourd'hui ? demande-t-il.

– Pas grand-chose.

Je veux retarder aussi longtemps que possible le moment où je vais lui annoncer ce que je dois lui dire.

– Moi non plus. Veux-tu qu'on se retrouve quelque part ?

Je ferme les yeux, je respire profondément, puis je me force à prononcer les phrases que j'ai répétées dans ma tête au cours des trois dernières heures.

– Sam. Je suis désolée. Je ne peux pas te voir aujourd'hui...

J'entends l'écho de ma propre voix, froide et irréelle comme si c'était celle de quelqu'un d'autre.

– Ah...

Il semble déçu.

– Samedi, alors ? propose-t-il.

– Non plus.

Silence.

– Becky, est-ce que ça va ? Tu sembles fâchée.

J'essaie de répondre, mais ma voix refuse d'obéir. Aucun mot ne veut sortir de ma bouche.

– Becky ? Qu'est-ce qui se passe ?

– Je suis désolée. Je ne peux pas te voir samedi ni aucun autre jour. Je ne te reverrai pas.

– Euh... Je pensais qu'on... Mais pourquoi ?

– Je ne peux tout simplement pas.

Les larmes me montent aux yeux.

– T'as un autre chum, ou quelque chose comme ça ?

Un *autre chum* ? Dois-je comprendre qu'il considère que nous sommes plus que des amis ? Une bouffée de joie me transporte. J'ai envie de lui répondre que je ressens la même chose. Mais à la place, je répète « Je m'excuse, je ne peux plus te voir » comme un robot stupide.

– Qu'est-ce que j'ai fait ?

Sam est vraiment ébranlé. Je m'en veux de le blesser.

– Rien. Tu n'as rien fait de mal.

– Mais alors, dis-moi ce qui se passe !

J'hésite à répondre, et il attend patiemment.

– C'est à cause de Colin.

– Qu'est-ce que tu veux dire ?

– Je ne veux plus rien entendre ou connaître sur lui et sur ce qui lui est arrivé.

– Dans ce cas, c'est simple... On a juste à ne plus parler de Colin. Je ne comprends pas où est le problème.

– Il est toujours là, entre nous deux. Il y a toi, moi... et lui. Je n'en peux plus.

Je me mords les lèvres pour essayer de retenir mes larmes.

– Becky...

– Je dois raccrocher... Je suis vraiment désolée, Sam.

Sans attendre sa réponse, je romps la communication. Je me sens triste et complètement bouleversée.

Je tremble juste à l'idée de ne plus jamais revoir Sam. C'est la fin du monde. Je réussis tout de même à me convaincre que c'est la seule manière de me libérer de Colin.

Maman et Joe ne me posent aucune question à propos de Sam, mais ils sentent tous les deux qu'il s'est passé quelque chose.

– Pourquoi n'appelles-tu pas Léa ? Invite-la à venir passer la soirée ici, si elle n'est pas chez sa tante. On a un nouveau DVD que vous pourriez regarder, et je vous ferais du *popcorn*.

– Non merci, maman.

– Grand-maman m'a raconté que la mère de Martin lui a dit qu'un groupe de ta classe allait patiner demain soir. Tu pourrais y aller avec eux.

– Non. Je ne crois pas.

Après ce qui s'est passé avec Shannon, personne de ma classe n'a envie de me voir là-bas. Mais je garde ce commentaire pour moi-même.

Je passe finalement la soirée dans ma chambre à essayer de ne penser ni à Sam ni à Colin.

À force de me torturer les méninges, j'en viens à être étourdie. Je suis tellement épuisée que je me couche à vingt et une heures. Je dors d'un sommeil agité ; Sam et Colin continuent tous les deux à me hanter dans des rêves sombres et macabres. C'est clair : je n'ai pas réussi à me défaire d'eux.

Le lendemain matin, Danny entre dans ma chambre. Il est déjà tard.

– Vas-tu te lever un jour ? me demande-t-il en criant.

– Non...

J'ai mal partout. Ma tête veut éclater. Je n'arrive à regarder ni l'heure ni Danny ; ouvrir les yeux me demande trop d'efforts. Je reste immobile. J'ai la gorge sèche comme si j'avais avalé une feuille de papier sablé.

– Allez, lève-toi, Becky ! On s'en va chez grand-maman dans une demi-heure.

Je grogne, et me retourne.

– Maman ! Becky dit qu'elle ne se lèvera pas !

– Ne fais pas ce genre de blague, Danny, lui répond maman.

Elle entre dans ma chambre. En me voyant, elle pose aussitôt ses doigts glacés sur mon front, puis disparaît dans le couloir. Elle revient quelques secondes plus tard avec un thermomètre, qu'elle glisse doucement sous ma langue. Je suis trop fatiguée pour m'y opposer. Après un moment, elle l'enlève et l'examine. Elle fronce les sourcils ; ce n'est pas bon signe.

– Presque trente-neuf, dit-elle en dégageant mes cheveux de mon visage. Je vais appeler la secrétaire du docteur Sampson.

Deux heures plus tard, je suis allongée sur un lit de la clinique externe de l'hôpital, branchée de partout. On me passe une batterie de tests. L'infirmière m'a déjà prélevé presque quatre litres de sang et se prépare à en prendre plus. Un vrai vampire ! Le docteur Sampson explique à maman qu'ils vont me garder en observation, par mesure de précaution. Ma mère est blême d'inquiétude, mais elle s'efforce de me rassurer.

– Ne t'inquiète pas, Becky, tout va bien aller.

– Qu'est-ce qui m'arrive ?

Elle hésite à répondre.

– Ils pensent que tu as une infection.

À partir de ce moment-là, tout devient flou comme si je traversais un épais brouillard. J'ai l'impression qu'on me pique et qu'on me tord dans tous les sens, alors que j'ai juste envie de fermer les yeux et de dormir.

J'entends une infirmière parler à maman.

– Il faut simplement qu'on trouve le bon dosage. Une dose trop forte réduirait les niveaux d'immunodépresseurs. Et ce n'est pas souhaitable.

Même à demi consciente, je comprends ce que ça signifie. Si les réactions de mon système immunitaire ne sont pas supprimées, mon corps va commencer à rejeter mon cœur.

Pendant les quelques jours qui suivent, je sombre dans un quasi-coma. J'ai de brefs éclairs de lucidité, mais je ne saurais dire si ce sont des rêves ou la réalité. Maman est souvent à mon chevet, à lire ou à dormir. Puis, quelques secondes plus tard, avant que j'aie le temps de lui parler, Joe a pris sa place. Les gens viennent et repartent tellement vite, c'est agaçant. Ne peuvent-ils pas rester assis un instant ? Pourquoi sont-ils si pressés ?

Entre les bips qui résonnent continuellement, je perçois parfois des voix calmes et sérieuses qui murmurent tout bas. Elles circulent de manière apaisante, comme des flots qui ruissellent dans le lit d'une rivière. Des gens prononcent mon nom, mais n'attendent pas ma réponse. À une ou deux occasions, j'essaie de réagir à leurs appels, mais je constate que mon corps ne coopère pas. Il n'est plus qu'un contenant renfermant mes pensées. C'est devenu une coquille vide, incapable de faire ce que je lui demande.

Je perds la notion du temps. Celui-ci me joue des tours et me rend complètement désorientée. À un moment donné, je jurerais voir Sam dans la chambre, debout derrière une cloison de verre. Il me regarde. Je dois rêver. Avec la peine que je lui ai faite, je ne mérite pas sa visite. C'est pourtant la sienne que j'aimerais le plus. Si je pouvais revenir en arrière et changer le cours des choses, je retirerais les paroles que je lui ai dites.

Puis, comme par magie, il est reparti. Me voilà plongée dans l'obscurité la plus complète. Je me sens dériver toute seule dans l'espace, perdue dans un monde sans étoiles. Tout espoir s'est envolé. Je suis à la fois partout et nulle part, et je suffoque dans le grand vide qui m'entoure. Pourtant, je sais que je l'ai choisi. C'est ici que je voulais être.

Tandis que je flotte dans le ciel infini comme une minuscule poussière dans l'univers, j'entends une voix qui s'adresse à moi.

– Tout baigne, me dit-elle.

– C'est un plaisir de te revoir, Becky.

Je me force à ouvrir les yeux. En clignant les paupières, j'aperçois le docteur Sampson debout au pied de mon lit. Il me sourit.

– Tu es passée à deux doigts d'une catastrophe, chère demoiselle. On a été très inquiets pendant un moment.

Maman s'approche.

– Comment te sens-tu, Becky ?

Je lui offre la version courte de ma réponse :

– Pas super.

– Ton corps a essayé de rejeter ton nouveau cœur. Heureusement, on a réussi à maîtriser la situation, du moins pour l'instant, m'annonce le docteur Sampson. Ça prendra quelques jours avant que tu retrouves ton état normal, mais tu es sur la voie de la guérison. C'est bon signe.

Comme il me l'a affirmé, je commence à me sentir mieux. Je dois tout de même passer le reste de la semaine à l'hôpital. Joe me dit que c'est dommage que je manque l'école et que je sois loin de « tous mes amis » ; en vérité, je suis plutôt soulagée de ne pas avoir à y aller avant quelques jours.

Le lendemain, les infirmières m'encouragent à me lever et à faire quelques pas. Je marche dans le couloir. La vieille machine distributrice où Audrey et moi avions acheté des chocolats chauds est hors d'usage. C'est classique. Je souris en pensant à Audrey. Elle doit être en train de faire de l'équitation avec son cheval préféré. Je l'imagine galoper joyeusement à travers champs.

En me retournant pour me diriger vers ma chambre, je croise Nathalie, mon infirmière préférée, qui sort de la salle de jeux avec un petit garçon au visage très blême.

– Ah ! Tu as meilleure mine aujourd'hui ! me dit-elle fièrement.

– Je me sens mieux, en effet.

Pour une fois, c'est vrai.

– Formidable. Je suis contente de l'entendre. Tu seras de retour chez toi en un rien de temps.

– Comment va Audrey ? La dernière fois que je l'ai vue, elle avait hâte de s'en aller d'ici. Je lui ai envoyé des textos et j'ai tenté de lui téléphoner, mais elle n'a pas répondu.

Nathalie me regarde, puis s'adresse au petit garçon.

– Va chercher ce livre que tu voulais tout à l'heure, et je viendrai te lire l'histoire dans une minute, lui propose-t-elle.

Elle se retourne ensuite vers moi.

– Audrey n'a pas survécu, Becky.

– Qu'est-ce que vous voulez dire ?

Nathalie prend ma main et la tient doucement dans la sienne.

– On a découvert qu'elle avait besoin d'un nouveau cœur. On a essayé de la maintenir en vie en espérant recevoir un don d'organe à temps pour la sauver. Mais l'attente a été trop longue. Elle est morte à l'hôpital il y a un peu plus d'une semaine.

Je suis en état de choc.

– Non. Ce n'est pas possible. Pas Audrey... Elle veut devenir monitrice d'équitation. Elle me l'a dit, c'est déjà prévu.

– Le docteur Sampson a fait tout ce qu'il pouvait.

Ça m'a pris toute la journée pour absorber la nouvelle que Nathalie m'a annoncée. Audrey ne peut pas être morte ; elle était tellement pleine de vie. La dernière fois que je l'ai vue, elle m'a dit qu'elle devait repasser ses tests. Je me demande si elle savait qu'elle était en danger. Son sourire cachait peut-être son inquiétude.

De grosses larmes me montent aux yeux alors que je pense à Audrey. Elle a profité de chaque seconde qu'elle a eue après sa greffe. Je ne peux pas me vanter d'en faire autant.

Il est tard. Allongée dans mon lit d'hôpital, je me promets de faire les choses autrement à partir de maintenant. Je viens d'échapper de justesse à la mort. Contrairement à Audrey, j'ai survécu. La vie me donne une deuxième chance. Et je comprends tout à coup que la seule façon de réussir à la savourer pleinement est d'affronter mes peurs. Toutes mes peurs, incluant celle de connaître la vérité sur Colin.

– Sam… C'est moi, Becky.

Ma voix tremble. Je serre le téléphone un peu plus fort qu'à l'habitude. Que vais-je faire s'il refuse de me parler ? S'il ne veut plus rien savoir de moi ? Au fond, c'est ce que je mériterais. Je ferme les yeux et je me prépare au pire.

– Becky ?

J'analyse le ton sur lequel il a prononcé mon nom. Est-ce qu'il semblait fâché ?

– Es-tu encore à l'hôpital ?

Il n'est pas en colère. Il est inquiet.

– Non… À la maison.

Comment sait-il que j'étais hospitalisée ?

– Je suis rentrée il y a quelques jours.

J'ai envie d'ajouter : « Et, depuis mon retour, je pense à toi chaque minute », mais je me retiens.

– Je suis passé chez toi la semaine dernière. Ton petit frère m'a dit que tu étais là-bas. Je suis allé te voir, mais on m'a interdit de te visiter.

Mon cœur bondit. Il se soucie de moi.

– Est-ce que tu vas bien maintenant ?

– Oui. Je retourne à l'école lundi.

Je n'en reviens pas : il se soucie vraiment de moi. J'essaie de me calmer. Est-il trop tard pour réparer les pots cassés ? Lui ai-je fait trop de peine ? Ai-je tout ruiné ? Une boule de tristesse est coincée dans ma gorge.

– Je suis tellement désolée.

Il y a un long moment de silence. Je me prépare à lui dire au revoir et à raccrocher.

– Je me suis ennuyé de toi, déclare-t-il.

Ma boule de tristesse fond comme de la crème glacée au soleil en plein été. Je flotte maintenant sur un nuage.

– Toi aussi, tu m'as manqué.

– On m'a expliqué que tu avais failli mourir.

Un autre moment de silence passe.

– Sam ?

– Désolé... J'étais juste en train de réfléchir. D'abord Colin, et maintenant toi... Je pense que je n'aurais pas pu... si tu...

Sa voix s'étrangle.

– Ça va. Je suis ici. Bien en vie.

– J'aimerais te voir pour le croire, murmure-t-il.

Je devine qu'il pleure à l'autre bout du fil.

Quelques heures plus tard, en ce beau samedi ensoleillé, me voilà assise avec lui dans la cour. Danny nous espionne, mais je ne m'en préoccupe même pas.

– Sam, j'ai besoin de savoir ce qui est arrivé à Colin le soir de sa mort.

– Crois-tu que ça t'aidera à régler quelque chose ?

– Je ne sais pas. Peut-être que non. En vérité, j'ai peur juste à l'idée d'essayer d'en connaître davantage.

– Pourquoi ? Au cas où tu apprendrais qu'il a été mêlé à quelque chose d'horrible ?

– Te souviens-tu de ce vieux film en noir et blanc à propos d'un docteur qui avait bu une potion qui l'avait transformé ?

– *Docteur Jekyll et M. Hyde.*

– C'est l'image que j'ai de Colin. Une minute, il m'apparaît comme un gars ordinaire, qui aime le sport et déteste le bacon. Et la minute d'après, c'est un genre de monstre qui se bagarre et s'embarque dans des histoires louches.

– Hé, attention à ce que tu dis... C'était mon ami.

– Tu as toi-même avoué qu'il avait changé. Comprends-moi... Son cœur est maintenant le mien, alors j'ai besoin de comprendre ce qu'il vivait. Si j'apprends que c'était terrible, je dois y faire face au lieu de laisser ces souvenirs me ronger.

– Et comment comptes-tu y parvenir ?

– Je n'en ai aucune idée. Tout ce que je sais, c'est que je ne peux plus vivre comme ça. Je dois savoir ce qui lui est arrivé.

Sam réfléchit en silence pendant un moment. Je jette un coup d'œil sur Danny. Il s'est caché derrière un tronc d'arbre pour nous épier. Il s'amuse avec des jumelles qu'il a fabriquées avec des rouleaux en carton et la moitié d'une bobine de ruban gommé.

– Je vais t'aider. On va faire équipe.

Sam et moi bavardons, étendus côte à côte dans l'herbe. Le soleil est chaud et c'est bon de le sentir sur mon visage. Par contre, je n'ose pas ôter mon chandail à col roulé, même si je porte un t-shirt en dessous, par crainte de montrer ma cicatrice.

– Sam, comment allons-nous obtenir des réponses ? Ça fait déjà presque cinq mois que Colin est mort.

Sam hausse les épaules, puis il se passe la main dans les cheveux pour dégager son front. Ses yeux sombres brillent tout à coup ; il semble avoir une idée.

– Tu as eu des visions. Tu as vu et senti les souvenirs de Colin. C'est peut-être la clé de nos recherches.

Un frisson me parcourt le dos.

– Ses souvenirs ne m'apparaissent pas sur commande, quand je le veux. Ils arrivent plutôt aux moments où je les attends le moins.

– Essaie.

– Quoi ?

– Imagine que tu es Colin, que tu es dans sa peau le soir de son décès. Où était-il ? Que faisait-il ?

– OK, je vais tenter le coup.

La peur au ventre, terrifiée par les images qui pourraient surgir, je ferme les yeux et je respire à fond pour me mettre d'aplomb. Pendant quelques minutes, il ne se passe rien. Je me concentre davantage. Je n'entends que le bruit des voitures prises dans le trafic et les coups de marteau du monsieur qui travaille dans son atelier à trois maisons d'ici.

J'ouvre les yeux.

– Désolée, Sam. Ça ne fonctionnera pas.

– Essaie encore.

Avant de refermer les paupières, j'aperçois Danny. Il nous observe encore à travers ces rouleaux de papier hygiénique ridicules.

– Qu'est-ce que vous faites ? demande-t-il.

– Rien. On parle, c'est tout.

Je pensais qu'il nous laisserait tranquilles. Au contraire, il se faufile plus près et s'assoit calmement derrière nous. Il sort une petite voiture de sa poche de jeans et se met à la pousser dans l'herbe, en se retournant de temps à autre pour vérifier si on le regarde.

– Encore un effort, conseille Sam.

Je ferme les yeux et j'attends. Il ne se passe toujours rien. Un avion vole au-dessus de nos têtes et la perceuse électrique du troisième voisin fonctionne à plein régime. Danny imite le bruit d'un moteur d'auto en faisant semblant de jouer près de nous. C'est peine perdue. Je suis déçue.

Puis, soudain, un tourbillon de couleurs s'anime derrière mes paupières, et je vois une forme se dessiner.

– Sam... Ça y est, je vois quelque chose.

– Qu'est-ce que c'est ?

Je bloque les sons environnants pour centrer toute mon attention sur ce que je ressens.

– C'est... Un cercle. Oui, un cercle rouge.

– OK, continue.

Malheureusement, l'image se brouille.

– Je ne suis pas sûre... Je crois qu'il y a une ligne, aussi. Oui, c'est une ligne bleue.

– Quoi d'autre ?

Les couleurs s'estompent et l'obscurité retombe. Je secoue la tête.

– Rien. Juste ça.

– Ça n'a aucun sens.

– Un cercle rouge et une ligne bleue. En effet, ça ne veut rien dire.

Danny arrête de pousser sa voiture dans l'herbe et intervient.

– Mais oui, ça veut dire quelque chose.

On se tourne vers lui. Son visage couvert de taches de rousseur s'illumine, et ses yeux bleu clair nous supplient de l'écouter.

– C'est l'enseigne du métro.

Je le fixe et comprends peu à peu qu'il a raison.

– Danny, tu es un génie !

Je tends les bras pour lui faire un gros câlin.

– Je sais, réplique-t-il avec un sourire en coin.

Fier de son coup, il prend le sentier qui traverse la cour et mène à la maison.

– Peux-tu te rappeler autre chose ? me demande Sam.

Je me concentre à nouveau.

– Non, rien. Juste ce logo du métro.

– Donc, si Colin a pris le métro le soir où il est mort, c'est là qu'on doit commencer.

Sam se lève. Je deviens nerveuse, tout à coup.

– Qu'est-ce que tu veux dire par « commencer » ?

– Il faut qu'on tente de recréer son parcours. Ça t'aidera peut-être à te remémorer d'autres éléments.

Je me sens blêmir juste à penser à une foule de gens entassés dans un wagon souterrain. Des centaines de corps qui transportent des millions de bactéries. C'est mon pire cauchemar.

– Je... Je ne peux pas.

Consterné, Sam me dévisage.

– Tu es guérie, maintenant. Non ? Tu as même dit que tu retournais à l'école lundi.

– Ce n'est pas ça. J'ai une phobie des foules. Je ne suis pas capable d'aller dans des endroits bondés de gens. Je panique.

– Alors, c'est pour ça que tu ne voulais jamais prendre les transports en commun pour aller au parc… Je croyais que c'était juste parce que tu adorais la marche.

– Je ne voulais pas t'avouer la véritable raison.

– J'aurais compris.

– Alors, je t'en prie, ne me demande pas ça.

– Mais, si tu ne le fais pas, tu ne sauras jamais ce qui s'est produit ce soir-là. C'est notre seule piste.

Je passe la nuit à tourner dans mon lit et à me demander quoi faire. Sam a raison. Le seul espoir de savoir ce qui est arrivé à Colin est de marcher sur ses pas. Mais ça m'angoisse au plus haut point. Le lendemain matin, quand je m'habille, ma décision est déjà prise. Avant de changer d'idée, j'envoie un texto à Sam pour lui donner rendez-vous au parc à dix heures. Joe me déposera là-bas en allant conduire Danny à une pratique de soccer.

– Tu te sens bien, Becky ? Tu en es sûre ?

– Oui, Joe. Ne t'inquiète pas. J'ai juste besoin d'un peu d'air frais.

Une fois devant le parc, il insiste pour que j'attende dans la voiture jusqu'à l'arrivée de Sam. Dès que celui-ci se pointe au coin de la rue, je saute sur le trottoir.

– Merci, Joe !

– Sois prudente... Et reste avec Sam.

– D'accord, promis !

Je m'empresse de rejoindre Sam. Il me prend la main et la tient doucement dans la sienne.

– N'aie pas peur. Je ne te laisserai pas.

Je serre sa main, et on emprunte le sentier qui traverse le parc. On passe devant le lac, et on remonte la petite pente qui mène à la sortie. Je repense au poisson géant qui vit sous la surface. Je me demande s'il est encore là.

On se rend jusqu'à l'intersection où se trouve le dépanneur ; c'est une bâtisse basse et trapue, coincée entre deux terrasses élégantes. Puis, au lieu de tourner à gauche sur la rue où habitait Colin, on continue tout droit sur une centaine de mètres. L'enseigne du métro se dresse enfin devant nous.

– Prête ?

– Ouais. Allons-y.

Je serre sa main encore plus fort.

En marchant vers l'entrée du métro, je jette un œil nerveux autour de nous. Il y a une certaine affluence, mais heureusement, ce n'est pas bondé. On se plante à côté de la distributrice de billets pour étudier le plan des stations affiché au mur.

– Bon, alors, où va-t-on ? marmonne Sam.

Tout en examinant la carte, j'essaie de deviner quelle station devrait nous intéresser plus que les autres, mais aucune ne ressort du lot.

– Je ne sais pas.

Finalement, on décide d'acheter des titres de transport illimité pour la journée. On passe le tourniquet, puis on emprunte un long tunnel. On aboutit ensuite à un escalier roulant qui plonge dans les profondeurs de la station.

– Ça va ?

Je ne vais pas bien du tout, mais je fais signe que oui avec un sourire aussi confiant que possible.

On pose les pieds sur les marches métalliques qui défilent. À mesure qu'on descend, un courant d'air soulève un nuage de poussière qui nous vole en pleine figure. Je frémis à l'idée de toute cette saleté. J'entends le roulement des wagons qui circulent quelques étages plus bas. Je m'agrippe fermement à la main de Sam. Il se tourne vers moi avec un sourire rassurant. C'est drôle comme son teint est blafard ; la lumière pâle des néons a complètement délavé son visage.

Une fois arrivés au pied de l'escalier roulant, nous faisons face à deux couloirs souterrains qui serpentent dans des directions opposées. Lequel emprunter ? Nous restons plantés là pendant quelques secondes. Avant que nous ayons eu le temps de prendre une décision, une foule apparaît dans le passage de gauche. Quelques secondes plus tard, une autre marée de gens émerge de celui de droite. Une voix jaillit alors d'un haut-parleur et ronchonne quelque chose à propos de « retards inévitables ».

Je lance un regard inquiet à Sam.

– Allez, on y va, m'encourage-t-il.

Pendant qu'on se fraie un chemin dans le second couloir, je réussis à tenir sa main jusqu'à ce qu'on arrive sur le quai du métro. Mais, à un moment donné, le flot des voyageurs nous sépare de quelques mètres.

– Avance un peu plus loin. On va prendre le prochain, me crie Sam.

J'essaie de rattraper mon ami, mais deux femmes se faufilent entre nous avec leurs poussettes et je n'arrive pas à les dépasser.

– Sam ! Attends-moi !

Le métro arrive. Quand les portes s'ouvrent, des tas de gens surgissent des wagons et une multitude d'autres arrivent sur le quai pour monter à bord. Sam se trouve maintenant à environ trois mètres devant moi. Il embarque et, dans la cohue, se voit obligé de se déplacer tout au fond de la cabine.

Avant que je puisse avancer davantage, les portes se ferment d'un coup sec. Durant quelques secondes, j'aperçois le visage horrifié de Sam qui me cherche des yeux à travers la vitre sale. Ensuite, je regarde le métro partir, jusqu'à ce qu'il disparaisse complètement dans l'obscurité du tunnel.

Je fais un tour sur moi-même, je regarde à gauche et à droite. Je me demande quoi faire. Je veux m'évader de cet endroit lugubre, courir vers la sortie et retrouver la lumière du jour. Mais je me raisonne ; Sam est sûrement descendu à l'arrêt suivant pour m'attendre là-bas. Je n'ai qu'à embarquer dans le métro qui arrive à l'instant pour le rejoindre à la prochaine station.

Armée de courage, je suis décidée à monter à bord, mais... le wagon qui s'immobilise devant moi est plein. Et le quai est aussi bondé qu'il l'était tout à l'heure. Comment toutes ces personnes pourront-elles tenir dans un si petit espace ? Mon cœur se met à battre plus fort.

Les portes s'ouvrent dans un bruissement. Plusieurs passagers descendent, puis tout le monde autour de moi se précipite en avant. Emportée par le flot de voyageurs, j'avance nerveusement vers l'entrée du wagon. Je fais deux petits pas supplémentaires et je me retrouve enfin à l'intérieur.

Je veux rester le plus près possible des portes, sauf qu'à mesure que d'autres personnes entrent, je suis forcée de me déplacer plus loin. Me voici maintenant plantée entre deux rangées de sièges qui se font face. La chaleur devient écrasante et ça pue. Pour éviter de respirer cet air vicié, je me couvre le nez et la bouche avec la main. Je pourrais toujours descendre ; les issues sont encore ouvertes. Mais... pendant que j'y réfléchis, elles se referment. Il est trop tard. Je suis prise ici.

Le train quitte le quai. Je n'ose pas m'agripper à quoi que ce soit ; tout est si sale. Je perds aussitôt l'équilibre.

– Pardon.

L'homme devant moi me laisse m'adresser à son manteau et ne daigne même pas se retourner pour me répondre. J'étire un bras et me cramponne à la rampe. Je pense aux centaines de mains qui y ont touché avant moi et à toutes ces bactéries invisibles qu'elles y ont laissées. Ouache ! Je tente de me calmer en me répétant qu'on arrive bientôt à la prochaine station.

À mesure que le métro file, ma gorge se resserre, ma peau picote, j'ai chaud, j'ai froid, mon pouls s'accélère ; j'étouffe. Je penche la tête et je fixe le plancher. C'est bizarre, on dirait qu'il monte et descend sous mes pieds. Tout mon corps est faible et mou ; j'ai le vertige. Ouf... Je lève les yeux et me concentre sur un point précis au plafond. Le trajet ne sera pas long ; il faut que je tienne le coup.

Soudain, au beau milieu du tunnel, le train freine et s'immobilise dans un grand bruit de ferraille. Nous sommes tous secoués vers l'avant. Je m'efforce tant bien que mal de ne pas tomber. En dehors du wagon, c'est l'obscurité totale. À l'intérieur, certaines personnes ici et là poussent des soupirs résignés et gémissent d'impatience. Puis, le silence s'installe ; tout le monde attend la suite des événements.

Quelques minutes plus tard, à la surprise générale, les lumières de la cabine s'éteignent. Tout le train se retrouve plongé dans le noir. On entend quelques passagers se plaindre, et un petit enfant se met à pleurer très fort. Près de moi, un couple de Français chuchote sur un ton anxieux.

– Il a dû se passer quelque chose de terrible pour que le métro s'arrête comme ça, entre deux stations , suppose une vieille dame.

De longues minutes s'écoulent, mais aucune lumière ne se rallume. Des rumeurs d'incendie ou d'attaque à la bombe commencent à circuler. L'air stagne et il fait de plus en plus chaud. L'attente devient insupportable. Un homme marmonne qu'il doit sortir. Plus loin, quelqu'un frappe dans une fenêtre.

Juste au moment où je suis sur le point de m'effondrer, je reconnais une voix familière.

– Tout baigne.

C'est la voix que j'ai entendue à l'hôpital la nuit où j'ai failli mourir. J'avais alors cru que c'était une des infirmières qui m'avait dit cela. Ces paroles m'apaisent profondément, et je m'entends dire tout haut :

– Restez calme, s'il vous plaît... N'ayez pas peur !

D'un bout à l'autre du wagon, tout le monde se tait. Même l'enfant cesse de hurler.

– Tout va bien aller.

Quelques secondes plus tard, les lumières se rallument. Aveuglés par l'éclairage fluorescent, les passagers clignent des yeux et regardent autour d'eux. Les gens sont visiblement soulagés. Dans un coin, un petit groupe se met à applaudir joyeusement. C'est drôle, tout le monde sourit.

Finalement, le métro se remet en marche et nous arrivons enfin à la prochaine station. Je jette un œil par la fenêtre dans l'espoir de repérer Sam. Je ne le vois pas. Le quai est désert, à part un groupe de touristes japonais qui trimballent leurs valises. Les portes du train s'ouvrent, et un bon nombre de gens descendent.

Je m'apprête à débarquer aussi, mais quelque chose me retient. Je ne vois et n'entends rien de particulier ; j'ai juste la forte intuition que ce n'est pas le bon endroit. Le destin de Colin ne s'est pas joué ici. Je décide donc de rester à bord et de m'asseoir sur l'un des sièges qui sont maintenant libres.

Un petit garçon d'environ deux ans s'installe à côté de moi, suivi d'une fille. C'est Léa. Aussi étonnées de se voir ici l'une que l'autre, on se fixe sans prononcer un seul mot durant quelques secondes. Le petit garçon se met à genoux sur son banc et fait bondir un dinosaure en plastique sur la tablette derrière nous. Je devine que c'est lui qui pleurait si fort un peu plus tôt.

– C'est mon petit frère, Ben, dit enfin Léa.

– La dernière fois que je l'ai vu, il ne savait pas encore marcher.

Ça fait drôle de nous retrouver côte à côte, elle et moi. Ben m'adresse un sourire timide, que je lui retourne gentiment.

– J'ai eu vraiment peur quand les lumières se sont éteintes.

– Moi aussi.

– Tout va bien aller, dit Ben.

– Becky, est-ce que c'est toi qui as dit ça tout à l'heure ? J'ai cru reconnaître ta voix.

Je réponds oui d'un signe de la tête.

On arrive à la station suivante. Léa prend son petit frère et se lève.

– Je descends ici. Je dois amener Ben chez ma tante. Mon père travaille toute la semaine prochaine. Et toi, où vas-tu ?

– Euh... Je ne sais pas encore.

– Becky, est-ce que tu vas bien ?

– Oui, ne t'inquiète pas. Ça va, je t'assure.

En attendant que les portes s'ouvrent, on ne sait pas trop quoi se dire.

– Bon, alors on se voit à l'école.

– Bye.

– Prends soin de toi, ajoute-t-elle en me fixant dans les yeux.

– Toi aussi.

Je la regarde marcher sur le quai tandis que le métro s'éloigne.

Dans le wagon, je reconnais la voix de la vieille dame qui croyait qu'un incident terrible s'était produit. Elle bavarde avec la jeune fille assise à côté d'elle. Un peu plus loin, l'homme au manteau gris offre une bouteille d'eau au couple de touristes français.

Pendant qu'on poursuit notre route, je comprends petit à petit ce que Colin faisait quand il partait seul. Il passait ses journées dans le métro. Et la vérité me frappe tout à coup : je n'ai plus mon propre cœur, j'ai celui de quelqu'un d'autre. Je serai liée à Colin, et lui à moi, aussi longtemps que je vivrai. Mais ça ne me fait plus peur.

J'observe les autres passagers, et une pensée me traverse l'esprit. Des centaines d'autres wagons comme le nôtre sont remplis de gens avec des histoires qui s'entrecroisent. Même si on voulait cheminer seuls au fil de notre existence, ça ne fonctionnerait pas. On a tous besoin les uns des autres durant notre passage sur cette petite planète.

Le métro s'arrête à la station suivante. J'ai l'intuition que je dois descendre ici. Je sors donc du wagon et me dirige vers le couloir. Je déjoue l'escalier roulant en remontant les marches rapidement. Puis, je me précipite vers la sortie et me retrouve dans la lumière brute du soleil. Enfin, j'envoie vite un texto à Sam pour lui dire que je vais bien.

Je ne sais pas du tout où je me trouve, mais tant pis. Je décide de tourner à gauche, puis je me mets à courir. Les passants que je croise me font les gros yeux ; je louvoie entre eux en évitant leurs regards. La semelle de mes souliers produit un bruit sourd sur le pavé à chacun de mes pas et ça m'incite à accélérer de plus en plus. Bientôt, je cours à toute allure, et mon cœur bat si vite qu'il semble sur le point d'éclater. Mais je ne ressens aucune peur ni aucune panique ; juste de l'euphorie, un intense bien-être. La dernière fois que je me suis sentie dans cet état, c'est quand j'ai franchi le fil d'arrivée lors de la course que j'ai remportée avant de tomber malade.

Soudain, ce que Colin a fait pour moi me frappe et j'en comprends toute la grandeur. Il n'a pas pensé juste à lui, à sa vie, à sa propre mort ; il a eu la générosité de voir plus loin et d'aider un autre être humain qu'il ne connaissait même pas. Il m'a offert le cadeau le plus précieux : une nouvelle vie. Comment ai-je pu gaspiller autant de temps ?

Sans crier gare, une douleur aiguë me transperce le cœur. Je fige sur place et j'essaie de la soulager en me massant la poitrine. Un peu confuse, je promène mon regard autour de moi.

J'aperçois les restes d'un bouquet de fleurs au pied d'un lampadaire, de l'autre côté de la rue. Je traverse, et je comprends que c'est ici que Colin est mort. Une immense tristesse me submerge alors. Malgré cela, un sentiment encore plus fort me brûle. C'est comme un appel irrésistible qui m'indique que je ne suis toujours pas au bon endroit. Mon instinct me pousse à croire que Colin n'était pas poursuivi, ce soir-là. Il n'était ni fou ni fâché. Il ne fuyait rien. Il courait *vers* quelque chose.

Il était tellement déterminé à se rendre à destination qu'il n'a pas fait attention. Il fonçait droit devant et a été heurté par la voiture qui venait dans l'autre direction. Son décès a été subit. Il n'a rien vu venir. Comme ce fut le cas pour moi quand j'ai eu mon infection, et pour Audrey quand son cœur a flanché. Des événements difficiles et injustes arrivent parfois. Mais, grâce à la mort de Colin, je suis en vie. Sans le savoir, il m'a sauvée et je lui en suis absolument et complètement reconnaissante. J'éprouve maintenant le besoin urgent de faire quelque chose pour lui en retour.

Je me remets à marcher. J'ignore où aller, mais peu importe. Tout ce que je sais, c'est que je dois me rendre quelque part. J'emprunte les petites rues et les ruelles. À un moment donné, juste avant de tourner à droite, j'hésite et je bifurque finalement à gauche, convaincue que c'est le chemin à prendre.

Dix minutes plus tard, je m'arrête devant un pub. L'odeur de la bière mêlée aux effluves de plats mijotés s'échappe par la porte entrouverte. Intriguée, je regarde l'enseigne installée au-dessus du trottoir. En voyant le logo, un cygne blanc qui donne aussi son nom à l'établissement, je sursaute. Ça y est, je sais maintenant que je suis au bon endroit.

J'entre. Il n'y a pratiquement personne, sauf un vieux monsieur assis dans un coin en tête à tête avec sa grosse chope de bière. Le gérant est debout derrière son comptoir, occupé à polir un verre.

– Bonjour, ma belle. Qu'est-ce que je peux faire pour toi ? demande-t-il.

Je reste plantée là sans savoir quoi dire ou faire.

– Est-ce qu'un chat t'a volé la langue ?

– Colin Hogan..., dis-je d'un ton hésitant.

– Colin Hogan ? Tu veux dire *Nick* Hogan ?

– Euh... Oui. Il est ici ?

– Il est derrière, dans la cour. Je vais l'appeler. Tu ferais mieux d'attendre dehors, ma belle ; tu es trop jeune pour entrer ici. Nick, quelqu'un veut te voir !

Je me dépêche de sortir. Après quelques secondes, un homme apparaît dans l'embrasure de la porte. J'ai le sentiment de le connaître. Il me dévisage.

– Qui es-tu ?

– Je m'appelle Becky Simon.

– On se connaît ?

– Non... Mais j'ai quelque chose à vous dire.

– Ah bon... Quoi donc ?

– Colin...

L'expression de son visage change aussitôt.

– Quoi, Colin ? Écoute, ma jolie, si c'est une blague, je ne trouve pas ça drôle, d'accord ?

Il rouvre la porte et s'apprête à retourner à l'intérieur du pub. Vite, il faut que j'agisse !

– Je dois vous dire que... que... tout baigne.

Il se tourne vers moi, l'air ébahi. Ses yeux se plantent dans les miens.

– Pardon ? Tu peux répéter ?

– Tout... baigne ?

Il me fixe attentivement. Je me sens rougir.

– Je m'excuse. C'est que... Je...

Ma voix s'éraille quand je vois les larmes monter aux yeux de Nick Hogan.

– C'est l'expression que Colin utilisait toujours après une dispute. Quand il disait : « Tout baigne, papa », je savais qu'on avait fini de se quereller et qu'il était en paix. C'était notre code. Personne d'autre que nous deux ne le connaissait. Pas même sa mère.

Il s'essuie les joues avec la paume de sa main. Puis, il braque ses yeux sur moi.

– Mais alors, comment sais-tu ça, toi, et que me veux-tu ?

Je prends une grande respiration avant de lui donner des explications.

– Le soir où Colin est mort, j'ai subi une greffe cardiaque. J'ai reçu le cœur de Colin et... je veux remercier votre fils de m'avoir donné la chance de continuer à vivre.

Le père de Colin et moi parlons durant plus d'une heure. Il veut tout savoir. Je décris donc du mieux possible le fil des événements qui m'ont menée jusqu'à lui. Je raconte aussi les visions et les souvenirs qui sont devenus si présents dans ma vie depuis ma greffe. Je relate également mes rencontres avec Sam dans le parc, la fois où j'ai entendu la voix de Colin à l'hôpital et dans le métro. Surtout, je lui dis à quel point je suis certaine que Colin voulait le retrouver, quand il s'est fait renverser par une voiture.

– Quand sa mère et moi nous sommes séparés, j'ai essayé à maintes reprises de le voir. Mais il ne voulait plus rien savoir de moi. Il refusait même de me parler au téléphone. Il me détestait.

– Non. Il vous aimait.

– Charlie m'a appelé cette nuit-là. Quand je suis arrivé à l'hôpital, Colin était déjà mort. Ils m'ont laissé le voir. Il avait l'air paisible. Mais j'étais arrivé trop tard.

Il lève les yeux vers moi, le regard troublé, et pousse un long soupir.

– Je suis arrivé trop tard, répète-t-il.

– Je sais que Colin vous aimait. Ce soir-là, il venait ici. Il voulait régler les choses entre vous deux. Malheureusement, il n'est jamais parvenu à destination.

Monsieur Hogan cache ses yeux avec ses mains. De longues secondes passent avant qu'il reprenne la conversation.

– Nous savions qu'il avait signé une carte de don d'organes quelques années auparavant. Mais nous n'avions jamais pensé que… Il était si jeune ! Quand les médecins nous ont parlé, à sa mère et à moi, de retirer son cœur pour sauver la vie d'une autre personne, l'idée de nous y opposer ne nous a même pas traversé l'esprit. Nous savions tous les deux que c'était ce que Colin voulait. C'était un bon garçon. Le meilleur.

Le père de Colin me raccompagne à la station de métro. On se dit au revoir, puis je descends l'escalier roulant, j'emprunte les couloirs souterrains et je monte dans un wagon. Je me rends compte que je n'ai plus peur. Je pense très fort à Colin et à sa famille. Au bout d'un moment qui m'a paru très court, je descends à la station située près de l'entrée du parc, où Sam m'attend.

– Est-ce que ça va ?

Inquiet, il accourt vers moi et me fait un gros câlin. Je me sens bien dans ses bras.

– Oui, ne t'en fais pas.

Pour la première fois en deux ans, je le pense vraiment.

– Quand le métro est parti et que j'ai vu que tu étais encore sur le quai, j'ai débarqué à la station suivante et je t'ai attendue pendant une éternité. Mais tu n'es jamais venue. Que s'est-il passé ?

On marche dans le parc, puis on s'assoit sur un banc à l'autre extrémité du lac. Le soleil est chaud ; c'est agréable d'être installés au bord de l'eau. Je raconte à Sam tout ce qui m'est arrivé depuis qu'on a été séparés.

– Si je comprends bien, Colin t'a réellement parlé ? me demande-t-il doucement.

– Je ne sais pas. C'était étrange, un peu comme si je pouvais entendre sa voix dans ma tête. Elle m'a apaisée. Et, à partir de cet instant, tout m'a semblé différent. J'ai su que je n'avais plus peur.

À la fin de mon récit, je constate que Sam a de la difficulté à absorber tous les détails. Il me regarde, l'air troublé. Soudain, il écarquille les yeux, le souffle coupé.

– Qu'y a-t-il ?

Il hésite, puis me répond lentement.

– Crois-tu que c'est... le destin, ou quelque chose comme ça ?

– Qu'est-ce que tu veux dire ?

– Il y a plusieurs années, Colin m'a rebattu les oreilles au sujet d'une fille qu'il avait vue. Je l'entends encore en parler sans arrêt. Je me souviens qu'il avait insisté sur le fait qu'elle était spéciale. Unique. Mais il n'arrivait pas à expliquer ce qu'elle avait de si particulier. Je ne comprenais pas pourquoi elle l'avait tant marqué.

Sam fronce légèrement les sourcils et sa voix devient plus grave.

– On avait environ dix ans, à l'époque. Il l'avait aperçue alors qu'il revenait d'un match de hockey avec son équipe. Elle avait failli se faire renverser par le minibus qui le ramenait chez lui.

Mon cœur tressaille.

– Comment était-elle ?

Je retiens mon souffle en attendant sa réponse.

– Elle avait de longs cheveux roux, le teint pâle, et l'air le plus triste qu'il avait jamais vu.

J'ai une boule dans la gorge. Je me rappelle la petite fille aux cheveux longs qui pleurait dans la neige. Je sais qui elle était... ou plutôt, qui elle est, mais je ne l'avais pas compris jusqu'à maintenant. Je soutiens le regard de Sam.

– C'était moi. La petite fille dont Colin t'a parlé, c'était moi.

– J'en étais sûr.

– Je m'étais enfuie... Mon père avait quitté la maison quelques jours plus tôt. Je m'ennuyais de lui terriblement. Pour moi, son départ marquait la fin du monde.

– Donc, tu as déjà rencontré Colin.

Je me projette dans le passé. Je me revois, debout dans la neige, lever les yeux vers ce minibus qui avait failli me tuer, et croiser le regard d'un garçon assis près de la fenêtre.

– Oui... Tu as raison. C'était lui.

Un frisson me parcourt tout le corps.

Sam prend ma main et la caresse. Assis l'un à côté de l'autre, au bord du lac, nous pensons très fort à Colin.

Soudain, de grosses bulles se forment à la surface de l'eau, à quelques mètres devant nous. Figés d'étonnement, on attend de voir ce qui va se passer. Puis, un énorme poisson saute et avale des mouches dans les airs avant de replonger.

– C'est le vieux monstre ! s'exclame Sam.

On l'observe en silence durant plusieurs minutes pendant qu'il se baigne dans les rayons du soleil qui dansent sur l'eau. Ses écailles brillent dans la lumière comme des diamants.

– Il est magnifique, dis-je.

Sa queue fend l'air en un coup gracieux, puis il disparaît sous une élégante éclaboussure. Le lac redevient aussitôt comme un miroir parfait.

– Sam, il y a une chose que je dois régler. Tu viens avec moi ?

On se dirige vers la maison de Colin et on frappe à la porte. Sa mère ouvre ; elle est surprise de nous voir.

– Bonjour, madame Hogan. Est-ce qu'on peut entrer un instant ?

– Oui, bien sûr.

Elle nous invite à nous asseoir à la table de la cuisine.

– Est-ce que Charlie est à la maison ?

– Elle est en haut...

– Est-ce que vous voudriez l'appeler ?

– Euh... Oui, d'accord. Charlie ! Peux-tu descendre, s'il te plaît ?

Madame Hogan nous regarde, l'air hébété. La sœur de Colin arrive dans la pièce.

– Hey, salut... Que faites-vous là ? Sam, si tu voulais récupérer ton CD, il est trop tard ; je l'ai prêté à mon chum.

Elle fait un clin d'œil accompagné d'un petit sourire en coin.

– Non, c'est cool. Becky a besoin de vous parler.

Charlie et sa mère pivotent vers moi.

Ce que j'ai à leur dire est délicat. Je leur narre donc les faits le plus délicatement possible : que j'ai reçu le cœur de Colin, et comment je l'ai su.

– C'est incroyable. Tout simplement incroyable ! s'exclame Charlie, ahurie.

– Il m'a sauvé la vie.

Je me tourne vers la mère de Colin. Le regard baissé, elle n'a pas prononcé un seul mot depuis le début de mon récit. Ai-je eu raison de lui parler de tout ça ? La mort de Colin l'a tellement fragilisée... La dernière chose que je veux, c'est de lui causer davantage de peine.

– Madame Hogan... Je n'aurais peut-être pas dû vous raconter tout ça. Je suis vraiment désolée.

Après quelques secondes, elle lève ses yeux tristes et fatigués vers moi. Je me sens malheureuse. Qu'ai-je fait là ?

Lentement, elle tend la main.

– Est-ce que tu me permets ? demande-t-elle, la voix chevrotante.

J'acquiesce de la tête. Elle pose doucement la paume de sa main sur le haut de ma poitrine, par-dessus mon t-shirt. Puis, elle ferme les paupières et sourit tendrement en sentant battre le cœur de son fils.

En arrivant chez moi cet après-midi, je me sens légère, comme si un énorme poids était tombé de mes épaules. Je passe un peu de temps dehors avec Danny à lui servir de gardienne de but pendant qu'il s'amuse à botter son ballon. À force d'attraper ce dernier, mes mains sont bientôt sales et couvertes de terre. Je les frotte ensemble et je me rends compte que ce n'est pas grave. Ça ne me dérange pas. Danny m'épate ; il est vraiment doué. Je le complimente, et son petit visage s'illumine d'un grand sourire.

– Becky, cinq kilomètres, est-ce que c'est loin ?

– Pas tant que ça, mon coco. C'est à peu près la distance qui sépare notre maison de celle de grand-maman. Pourquoi ?

– Au club sportif, Ariane s'est inscrite à une course pour un organisme de bienfaisance. Il faut qu'on lui trouve des commandites. Elle amasse de l'argent pour s'acheter une tente. Peut-être deux.

Le commentaire de Danny me donne une idée. On rentre, et je lui demande de me montrer le formulaire qu'il doit remplir. Je consulte maman, puis j'envoie un courriel à l'organisateur pour lui demander si je peux participer à la course.

Quelques heures plus tard, je reçois une réponse qui inclut un second formulaire ; je le télécharge. Je commence à le remplir, mais maman entre alors dans ma chambre et m'ordonne d'aller au lit.

– Allez, Becky, pas de discussion. Tu vas à l'école demain.

Oui, et je le sais trop bien ; je n'ai pas hâte du tout. Je range mon formulaire dans mon sac. Je vérifie mon cellulaire. J'ai reçu un texto de Sam et un autre de Charlie. Celle-ci m'écrit que sa mère veut que je sache que je serai toujours la bienvenue chez elles.

Le lendemain, je suis nerveuse de retourner à l'école. Ça fait déjà une semaine que tout le monde est de retour de la semaine de relâche. J'échange un bref regard avec Léa. Quelqu'un passe en me bousculant. C'est Shannon. Une étincelle dans ses yeux me dit qu'elle veut ma peau. Je tremble, mais j'essaie d'avoir l'air calme en me rendant à ma place, au fond du local.

Pendant que monsieur MacNamara appelle nos noms pour prendre les présences, je sors de mon sac le formulaire de la course et j'inscris mon nom sur la première ligne. Presque aussitôt, Shannon me l'arrache des mains et le brandit dans les airs, hors de ma portée.

– Redonne-moi ça !

Elle chiffonne le formulaire en une boule, qu'elle lance en direction de Martin. Ce dernier la reçoit dans le cou et pousse un petit cri de surprise.

MacNamara lève les yeux.

– Qu'est-ce qui se passe ?

– Rien, monsieur, répond Shannon avec un sourire angélique.

– Alors, donnez-moi ce bout de papier.

Martin envoie mon formulaire à monsieur MacNamara, qui l'attrape. Il déplie la feuille et y jette un coup d'œil, puis me la tend.

– Je crois que ça t'appartient.

– Oui, monsieur.

Je me lève pour récupérer mon formulaire. Au lieu de me rasseoir, je reste debout. J'ai quelque chose à dire. Beaucoup de choses à dire.

– Je participe à une course pour amasser des fonds au profit de l'unité de cardiologie où j'ai eu ma chirurgie.

Je vois Shannon rouler les yeux. Tant pis, je poursuis mon discours.

– Je sais que l'idée des greffes ne plaît pas à tout le monde, mais si je n'avais pas reçu ce nouveau cœur, je serais morte à l'heure actuelle. J'ai décidé de courir à la mémoire de mon donneur et d'une amie qui avait besoin d'en recevoir un, elle aussi. Malheureusement, l'attente a été trop longue ; elle est décédée. Elle avait dix-sept ans. Elle s'appelait Audrey.

Je me rassois. Un certain malaise suscite un long silence, mais je me fiche maintenant de ce que les autres pensent. Monsieur MacNamara nomme les dernières personnes sur sa liste des présences.

Ensuite, tout le monde se lève pour aller au premier cours, dans une autre salle. Léa s'arrête devant moi.

– Inscris cinq dollars à côté de mon nom.

Je suis étonnée de son offre. J'ai peut-être mal compris.

– Pardon ?

– Je vais te commanditer.

– C'est vrai ?

Elle fait une petite grimace amicale.

– Ben, si tu ne veux pas que je...

– Non, s'il te plaît, c'est super... Merci !

On échange un sourire.

Tout de suite après les cours, je me dirige vers le vestiaire des filles, j'enfile mon ensemble d'éducation physique et je sors sur la piste d'athlétisme. Je fais quelques exercices d'échauffement, puis je commence à jogger. Ça fait du bien. À un certain moment, je crois apercevoir le kiosque à musique du parc, au loin. Je souris. L'image disparaît de mon esprit. Mes visions ne m'effraient plus. Elles ne sont que des souvenirs supplémentaires que j'ai accumulés au cours des derniers mois.

Alors que je m'apprête à faire un nouveau tour de piste, Léa vient vers moi. Elle porte son ensemble d'éducation physique elle aussi. Elle me regarde d'un air sérieux et reste silencieuse un moment. Je ne sais pas trop comment réagir. Je me penche pour relacer ma chaussure.

– Je veux m'excuser d'avoir raconté à Julie que tu voyais des choses. Je n'avais pas pris conscience de tous les ennuis que ça allait te causer.

Je demeure prudente ; est-elle réellement sincère ? Elle lâche un petit soupir mêlé de nervosité.

– Je t'avais promis de n'en parler à personne, et je t'ai trahie. J'ai été horrible. Je suis tellement désolée, Becky.

D'ailleurs, Julie, Alicia et moi sommes toutes vraiment désolées.

Quand je me relève, elle me fait un câlin. Je ne recule pas ; j'accepte son accolade et lui en donne une en retour.

– Je te pardonne, Léa.

– Je me suis beaucoup ennuyée de notre amitié, tu sais.

– Moi aussi.

– On redevient amies ?

Je hoche la tête.

– Ouais, amies.

On jogge à un rythme lent. En moins de quelques minutes, on se sent comme avant, quand on s'entraînait toutes les deux. Je lui demande comment s'est passée la sortie de patinage à la mi-session.

– C'était l'fun, mais j'ai passé le plus clair de mon temps sur le derrière. J'ai été vraiment méchante de ne pas t'inviter.

– Ne t'en fais pas. Tu m'as évité bien des douleurs. Je me serais sans doute fait une centaine de bleus partout sur le corps.

On accélère un peu la cadence en entamant notre deuxième tour.

– Hé ! As-tu entendu la nouvelle ? me demande-t-elle.

– Non, mais je sens que je vais l'apprendre à l'instant !

Je lui fais un clin d'œil.

– Ça va, ce n'est pas un secret ; tout le monde le sait maintenant. Martin a rompu avec Shannon. Il paraît qu'il a trouvé le grand amour…

On éclate de rire.

– Pauvre Shannon.

– Bah ! Elle va bien. C'est elle qui l'a annoncé à qui voulait bien l'entendre. Elle a déjà invité William à sortir avec elle.

– Alors, qui est cette fille qui fait battre le cœur de Martin ?

– Il ne veut pas le dire. Mais on va le savoir samedi, à mon party. Tu viens ?

Elle sourit, puis me regarde d'un air plus grave.

– Becky… Quand je t'ai vue dans le métro, l'autre jour, que se passait-il ?

J'hésite à lui répondre. Un jour, je lui raconterai peut-être tout ce qui m'est arrivé. Mais pour l'instant, je préfère lui fournir la version abrégée.

– Je reprenais le contrôle de ma vie.

Je me regarde dans le miroir de ma chambre. Tout le monde sera au party, même Sam ; Léa a insisté pour que je l'invite. J'enlève un haut à rayures bleues et j'en mets un de couleur crème. Je l'adore et je le portais souvent, avant. Mais je trouve qu'il laisse trop voir ma cicatrice. Ça m'agace.

Grand-maman frappe à la porte et entre.

– Wow, tu es superbe, Becky !

Elle fait semblant de ne pas voir les vêtements qui jonchent le plancher de ma chambre.

– Merci, grand-maman. Est-ce que tu vas bien ? Tu sembles préoccupée.

– Tante Vi est convaincue que le laitier est un espion russe. Si elle était ici, Ruby lui ferait vite retrouver la raison.

– Tu crois qu'elle l'amènerait avec elle aux États-Unis ?

Grand-maman réfléchit une seconde, puis secoue la tête.

– Contrairement à toi, jeune demoiselle, Vi et moi sommes bien trop vieilles pour partir à l'aventure. Bon, Joe m'a demandé de te dire de te dépêcher, si tu veux qu'il aille te conduire. Le match de soccer commence dans une heure et il veut le regarder à la télé avec Danny.

– D'accord, j'arrive. Ce ne sera pas long.

Elle redescend. Je me retourne face au miroir. J'ai toujours adoré porter ce haut crème. Sans être vaniteuse, je sais qu'il me va bien. Mais, maintenant, ma cicatrice est bien visible au-dessus du joli col en dentelle. Je pense à Audrey. Que ferait-elle ?

J'assume ; je reste habillée comme ça. Je prends le cadeau de Léa et je dévale l'escalier.

– Je suis prête !

Joe me dépose au centre communautaire.

– À plus tard, Becky. Amuse-toi bien.

– Merci, papa.

Oh, mon Dieu ! Ai-je vraiment dit ça ? Je n'avais pas du tout l'intention de l'appeler « papa ». Le mot est sorti de ma bouche spontanément. Rouge d'embarras, je descends de la voiture avec beaucoup de maladresse. J'aperçois le large sourire qui fend le visage de Joe. Pour une raison que j'ignore, je me surprends à en esquisser un aussi. En quittant le stationnement, il m'envoie la main, et je le salue.

Je gravis les marches jusqu'à la porte double. Je suis nerveuse. J'entends la musique qui joue à tue-tête à l'intérieur. Le chum d'Alicia joue ce soir avec son groupe. Je peux voir par la fente de la porte qu'il y a beaucoup de monde. Léa a dû inviter la moitié des élèves de l'école. J'hésite un moment, puis je me répète que je n'ai plus peur d'être contaminée par les bactéries, alors j'entre.

Léa, Julie et Alicia sont à l'autre bout de la salle, debout devant la scène. Je me faufile dans la foule pour aller les rejoindre.

– Becky !

– Joyeux anniversaire, Léa !

Je lui donne une accolade et lui tends son cadeau.

– Merci !

– Où est ton nouveau chum ? demande Julie.

Je fouille la pièce du regard. Je ne vois Sam nulle part. Martin se dirige vers nous en dansant ; il bat des coudes comme un canard ridicule. Je grogne par en dedans.

– Becky, ma belle Becky !

Il crie pour qu'on l'entende par-dessus la musique. Je lui tourne le dos en espérant qu'il me laisse tranquille, mais il me prend la main et la balance dans la sienne.

– Viens danser, ma chérie !

– Non merci, Martin.

– Mais Becky ! J'ai toujours eu un faible pour toi !

C'est exactement à ce moment-là que le groupe termine une chanson. Un silence total plane dans la salle. Martin ne semble même pas s'apercevoir que tout le monde a les yeux braqués sur nous.

Ahurie, je le fixe pendant une seconde, puis je lui dis ma façon de penser.

– Eh bien. Mettre un crapaud dans mon sac à lunch, c'était une manière plutôt étrange de me le montrer ! Y as-tu pensé ?

– Hé ! C'est toi mon véritable amour ! ajoute-t-il avec son air théâtral.

– C'est dommage, murmure une voix derrière moi.

Je me retourne ; Sam me regarde de ses beaux yeux noirs expressifs. Mon cœur bondit.

– Martin, je te présente Sam.

– On est ensemble, ajoute Sam en souriant fièrement.

Il me prend par la main et m'emmène un peu plus loin. Je vois Julie écarquiller les yeux et se pencher pour dire quelque chose à Alicia.

– Wow... D'où sort-il, celui-là ?

Alicia lui fait signe d'être plus discrète.

Le groupe recommence à jouer. Sam me tient dans ses bras. On se met à danser au son de la musique. Je suis à la fois nerveuse, fébrile et heureuse.

– Tu es belle.

– Ouais, si on oublie ma cicatrice.

Il me serre encore plus fort contre lui.

– Quelle cicatrice ?

Il sourit, puis m'embrasse tendrement sur les lèvres.

L'attente

Je me trouve au milieu d'une foule de trois mille personnes. Nous sommes tous entassés sur la piste, et nous attendons le coup de départ. Je porte mon short et ma veste de course préférés. Elle laisse voir le haut de ma cicatrice, mais je ne m'en soucie pas. C'est mon souvenir de bataille.

À ma droite, Sam semble un peu nerveux. Il est plus à l'aise sur une planche à roulettes que sur une piste de course, mais il tenait à participer à l'événement avec moi aujourd'hui.

Léa m'accompagne aussi. Bien cool et détendue, elle rit tout en bavardant avec un beau gars derrière elle. Il amasse des fonds pour un organisme de bienfaisance qui œuvre dans les Caraïbes. Je capte des bouts de leur conversation et je pense que, si on ne commence pas bientôt à courir, ils auront eu le temps de planifier tout un voyage ensemble.

Un peu plus loin, je remarque un groupe de coureurs déguisés en pères Noël. Le plus grand d'entre eux tire sur sa fausse barbe pour se gratter le menton, et je me rends compte que c'est le docteur Sampson, avec d'autres membres du personnel de l'hôpital. Une personne à côté de lui saute sur place en secouant les bras vers moi. Je réponds d'un signe de main, mais je ne sais pas c'est qui. Elle enlève sa grosse barbe blanche et je la reconnais enfin : c'est Nathalie.

Je repère maman, Joe et Danny juste derrière les clôtures qui bordent le terrain d'athlétisme. Grand-maman et tante Vi se sont installées à une distance un peu plus sûre. Elles partent toutes les deux aux États-Unis la semaine prochaine rejoindre leur sœur Ruby. Grand-maman a fini par se convaincre de partir et a réservé une paire de billets d'avion.

– La vie est trop courte. Il faut en profiter au maximum, peu importe l'âge, a-t-elle raisonné.

– Alors, on saute sur l'occasion, a ajouté tante Vi.

La mauvaise nouvelle, c'est qu'on doit s'occuper de leurs chats pendant leur absence.

– Bonne chance, Becky ! crient-elles.

Tante Vi brandit une pancarte qu'elle a fabriquée et où elle a écrit « Go, Rebecca, go ! » en grosses lettres attachées. Je trouve ça terriblement embarrassant, mais je me garde de le leur montrer.

Assis sur son vélo, Martin nous observe. Je lui envoie la main pour le saluer. C'est peut-être le pire con de la terre et le roi des maladroits quant à son (supposé) amour pour moi, mais je dois admettre qu'il a fait un grand geste la semaine dernière. Il est allé voir monsieur Patterson et a insisté pour que celui-ci prenne la parole durant le rassemblement des élèves pour annoncer que Léa et moi participions à cette course. Cette intervention nous a permis d'amasser des centaines de commandites supplémentaires. À nous trois, nous devrions pouvoir remettre plus de mille dollars à l'unité de cardiologie.

Soudain, une vague d'excitation submerge la foule. Les organisateurs se préparent à donner le coup de départ.

Sam se tourne face à moi avec un grand sourire.

– Bonne chance, Becky.

Mon cœur se met à battre un peu plus vite. Je n'ai jamais été aussi heureuse.

On tire le coup d'envoi. Trois mille personnes, incluant nous trois, s'élancent en même temps. Je cours pour Colin, je cours pour Audrey... Je cours pour la vie.

génération
LA collection pour jeunes adolescentes.
Des romans à la fois drôles et tristes, intenses et légers.

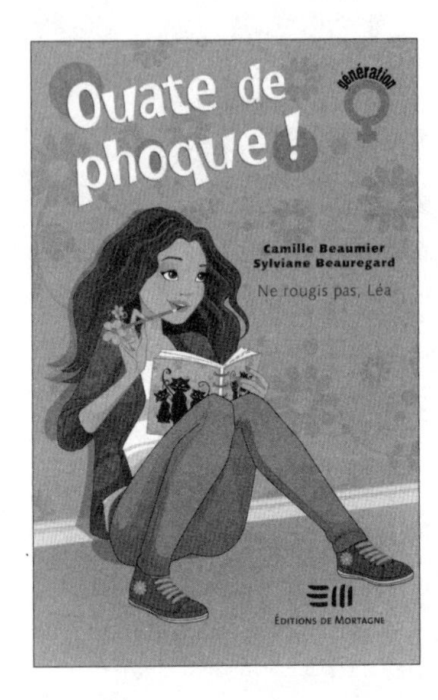

Dans la même collection

Camille Beaumier et
Sylviane Beauregard

Ouate de phoque !
Tome 1. Ne rougis pas, Léa

Léa adore: sa *BFF* Lily; son carnet avec des chats tout choupinet; l'Halloween; NYC; le jour du pâté chinois à la café; les biscuits de mamie Lulu; Ouija; faire des listes pour prendre sa vie en main.

Léa déteste: rougir à tout propos; quand son père capote sur les protéines; quand sa mère lui souligne à grands traits ses fautes de français; le *cheerleading* et l'adultite aiguë sous toutes ses formes.

Léa rêve: de sortir avec Antoine, qui ne semble pas voir qu'elle l'aime, parce que c'est un gars et que les gars ne comprennent pas toujours du premier coup; d'avoir une mère-ordinaire-pas-féministe et des faux cils bioniques.

Quand sa vie dérape, Léa peut toujours compter sur les précieux conseils de Lily; sur les fabuleux biscuits de Lulu et sur sa propre extralucidité. Et, surtout, sur sa A-Liste…

Dans la même collection

Camille Beaumier et
Sylviane Beauregard

Ouate de phoque !
Tome 2. Trop dur d'être une ado

Léa adore: Antoine, qui a enfin compris ce qu'il devait comprendre; sa *BFF* Lily; ses amis; la Saint-Valentin; faire des anges dans la neige pendant une tempête et les fameux biscuits de Lulu.

Léa déteste: quand ses parents ne réalisent pas qu'elle n'a plus cinq ans; PVP quand il donne des conseils nuls (trop souvent!); la chicane; les musées et, par-dessus tout, la vie qui change tout le temps d'idée.

Léa rêve: de réussir à poser ses faux cils bioniques et, SURTOUT, d'aller à NYC avec sa mère pour rencontrer le Chrysler Building en personne.

Le congé de Noël terminé, Léa reprend le chemin de l'école. Amours, amitiés, activités scolaires et parascolaires, tout lui réussit. Elle se sent enfin en plein contrôle de sa vie. Lorsque Océane sème un doute dans son esprit trop naïf, Léa regarde sa vie d'un œil neuf. Et si Océane avait raison... Si sa vie était sur le point de basculer... pour vrai ?

Dans la même collection

Camille Beaumier et
Sylviane Beauregard

Ouate de phoque !
Tome 3. Serpents et échelles

Léa adore : les vacances d'été ; Antoine ; les lucioles ; sa *BFF* Lily ; Lulu ; son sous-sol miteux mais chaleureux et les choses qui ne changent pas.

Léa déteste : la fin des vacances ; la poésie scientifique (beurk !) ; quand sa mère féministe l'oblige à s'impliquer dans les activités de son école, qui fait toujours la guerre aux bisous.

Léa rêve : de réussir à rougir intérieurement ; d'être réélue présidente de sa classe ; que PVP soit plus cool et de mieux connaître Lancelot, le nouveau de la classe.

Après le plus bel été de sa vie, Léa retourne à l'école. Elle y retrouve ses amis, ses ennemies aussi, et des règlements plus poches que ceux de l'an dernier. À l'école, tout est sur la coche. À la maison ? La santé de Lulu vacille, ce qui risque de changer la vie de Léa. Comment rester zen quand le sort transforme soudain votre vie en jeu de serpents et échelles ? C'est le défi que Léa devra relever.

Dans la même collection

Audrey Parily

Amies à l'infini
Tome 1. Quand l'amour
s'en mêle

Ophélie a quinze ans, le cœur brisé, et autant envie de reprendre l'école que de se faire arracher une dent sans anesthésie. Disons seulement que la fin de sa 3e secondaire n'a pas été une partie de plaisir ! Entre le rejet d'Olivier (cœur en miettes pour toujours) et les coups bas que Zoé – son ex (?) meilleure amie – et elle se sont faits pendant des semaines, non, vraiment, Ophélie n'a pas du tout la tête à retourner à l'école.

Zoé, de son côté, ne sait toujours pas si elle doit pardonner à Ophélie. Mais à qui d'autre parler de ce qu'elle ressent dès que Jérémie s'approche un peu trop près ? Elle qui se contrôle si bien d'habitude, la voilà qui bafouille et rougit dès qu'il la regarde ! Tomber amoureuse n'était pas dans ses plans... et encore moins de Jérémie !

C'est au milieu de tout ça que Chloé arrive de Paris, sauf qu'elle ne pense qu'à une chose : repartir (et au plus vite !!!!!!). Québécoise de naissance, elle a toujours vécu en France et n'avait aucune envie de venir passer un an au Québec. D'ailleurs, elle ne pardonnera jamais à ses parents de l'avoir déracinée et forcée à quitter F-X, son chum. (Non mais, quelle idée !)

Les trois jeunes filles commencent donc une nouvelle année sans enthousiasme, mais qui sait ce qu'elle leur réserve ? Entre questionnements, rêves, amours et amitiés, Ophélie, Zoé et Chloé verront leur vie changer. Sauront-elles s'adapter ?

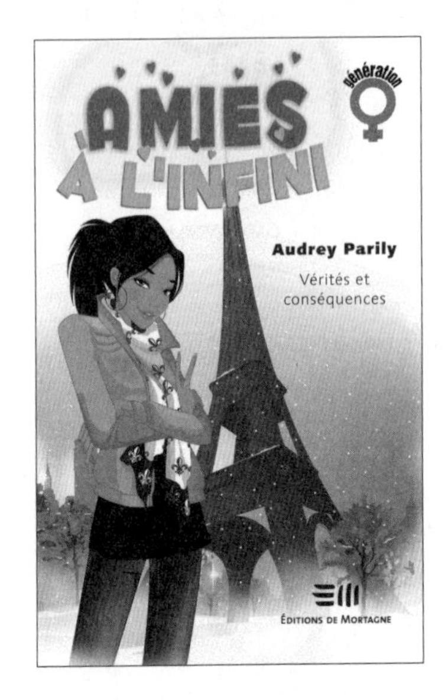

Dans la même collection

Audrey Parily

Amies à l'infini
Tome 2. Vérités et conséquences

Ophélie a le cœur en miettes (encore !), mais elle ne peut s'en prendre qu'à elle-même. Quelle idée, aussi, de se faire passer pour une autre fille auprès d'Olivier ! Et que dire de sa réaction lorsqu'il l'a appris… Ophélie a donc décidé de faire une croix sur une éventuelle histoire d'amour avec lui, et ce, DÉ-FI-NI-TI-VE-MENT. Et tiens, pourquoi ne pas tirer un trait sur TOUS les gars de la planète, au passage ?

De son côté, après un choix déchirant, Chloé se retrouve elle aussi dans le cercle des célibataires. F-X fait désormais partie du passé. Déterminée à ne pas se laisser abattre, elle se tourne vers l'équitation, rencontre de nouvelles personnes et finit même par envisager de terminer son secondaire au Québec. Et l'amour, dans tout ça ? Frappera-t-il à nouveau à sa porte ?

Quant à Zoé, elle flotte sur son nuage depuis qu'elle sort avec Jérémie. Jusqu'au fameux party de la Saint-Valentin… qui s'annonce des plus explosifs ! Entre les sentiments que Jessica développe pour SON amoureux et le comportement surprenant de ce dernier, Zoé est sur le point de craquer… et de le laisser !

À chaque vérité, sa conséquence… Les trois amies le découvriront à leur manière et devront apprendre à vivre avec leurs décisions. Complications imprévues, amours et rebondissements seront au rendez-vous. Heureusement que les filles peuvent compter sur l'amitié qui les lie pour tout surmonter et finir l'année scolaire en un seul morceau !

Dans la même collection

Kate Le Vann

Ce que je sais sur l'amour

Ce que je sais sur l'amour? Pas grand-chose... Mais je sais que:

1. Les gars ne vous disent pas toujours la vérité.
2. Ce qui se passe entre deux personnes reste rarement secret.
3. Survivre à une peine d'amour peut être (trrrrrrrrrès) long.

La vie amoureuse de Livia n'a jamais été du genre conte de fées. Nulle ou décevante serait plus proche de la réalité. Et la maladie en est la principale responsable... Mais cet été-là, un répit lui est enfin accordé pour ses dix-sept ans.

Lorsque sa mère (poule) accepte qu'elle aille rejoindre son grand frère, qui étudie aux États-Unis, Livia est en transe. Pour une fois dans sa vie, elle compte bien s'amuser et profiter de sa nouvelle liberté.

Et qu'est-ce qui peut arriver quand on se retrouve à des milliers de kilomètres de chez soi? L'amoooooooooooooour!!!!!!!!!!!!

Dans la même collection

Kate Le Vann

C'était écrit...

J'ai connu une fille qui s'appelait Sarah. Je l'aimais plus que tout au monde. Mais elle est morte avant que j'aie eu la chance de bien la connaître. Elle avait vingt-six ans. C'était ma mère.

Passer l'été à Londres, chez sa grand-mère maternelle... Voilà qui est loin de l'idée que Rose se faisait de ses vacances. Quel ennui !

Toutefois, dès son arrivée, deux événements inattendus l'amènent à changer d'avis :

1) la rencontre de Harry, un étudiant qui effectue des travaux chez sa grand-mère. Vraiment très beau mais aussi trèèèès énervant !!!

2) la découverte du journal intime de sa mère, que Rose trouve dans le placard de l'ancienne chambre de Sarah. Journal qui dévoile des faits troublants à la jeune fille...

Poussée par Harry, Rose partira à la quête de la vérité. Elle doit savoir si elle vit dans le mensonge depuis toutes ces années. Au fil de leurs recherches, un amour timide naîtra entre eux. Mais il y a Maddie, l'étudiante-beaucoup-trop-belle qui tourne autour du jeune homme...

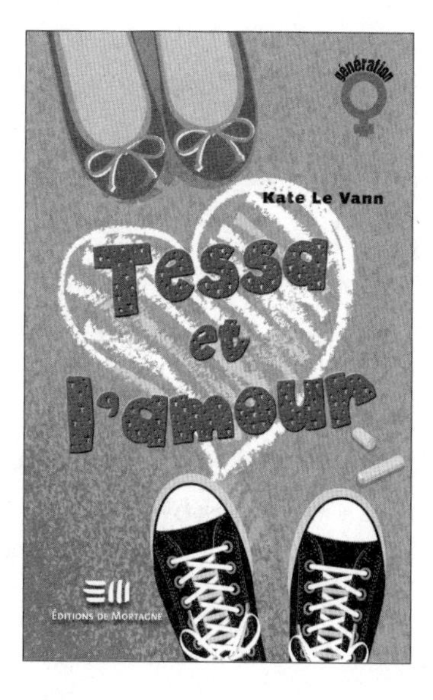

Dans la même collection

Kate Le Vann

Tessa et l'amour

Tessa est désespérée à l'idée d'avoir un jour un chum. Sa meilleure amie, Mathilda (incroyablement belle avec ses cheveux fabuleusement acajou et sa peau extraordinairement resplendissante), file le parfait amour avec Lee depuis un an, contrairement à elle, qui est toujours, désespérément, totalement, seule. Bon, il faut reconnaître que personne n'a su éveiller son intérêt jusqu'à présent. Trouver un garçon mature, et beau, ET qui lit les journaux, ça n'a rien de facile, surtout quand on a seize ans!

Mais quand il s'agit de sauver la forêt à côté de chez elle, menacée par la construction d'un centième supermarché, Tessa est hyper motivée (bien plus que pour trouver l'amour!). Et si ce garçon – vraiment original et au surnom peu commun – qu'elle croise le jour de la manifestation était celui qu'elle espérait?

La vie telle que Tessa la connaissait est sur le point de basculer...

Pour le meilleur ou pour le pire?

Dans la même collection

Aimée Verret

Inséparables

Éléonore est une fille ordinaire (c'est ce qu'elle pense !). Elle aime dessiner des robes (et des cornes à sa mère, selon son humeur). Élé a la chance d'avoir une meilleure amie trop cool, Lola, qui est fan de magasinage, mais qui sait surtout quoi faire en toute circonstance, particulièrement lorsqu'il est question des garçons. (D'ailleurs, tous les tests dans les magazines lui confirment qu'elle est l'amoureuse idéale !)

Mais alors, pourquoi est-ce justement depuis que Lola leur a arrangé un rendez-vous avec deux joueurs de soccer super *cute* que l'amitié entre les filles semble ébranlée? Lorsque notre meilleure amie se fait un chum, elle a le droit de passer du temps avec lui, c'est sûr. (Beaucoup, même, des fois...) Mais est-ce que ça lui donne le droit d'abandonner sa *best*, en pleine nuit, après une soirée catastrophique? De lui mentir? Qu'est-ce qu'on fait quand on ne comprend plus du tout sa *BFF* ?

Heureusement pour Élé, il y a Jérôme et Mathieu Rochon, une BD et... deux premiers baisers !!